THEUNIS G. BARONTO MARINHO

SONHAR ALTO, PENSAR GRANDE

Lições de um brasileiro que enfrentou os obstáculos e tornou-se presidente de uma multinacional

Diretora
Rosely Boschini

Gerente Editorial
Marília Chaves

Estagiária
Natália Domene Alcaide

Editora de Produção Editorial
Rosângela de Araujo Pinheiro Barbosa

Controle de Produção
Karina Groschitz

Projeto gráfico e Diagramação
Triall Editorial Ltda

Revisão
Vero Verbo Serviços Editoriais

Capa
Osmane Garcia Filho

Impressão
Gráfica Rettec

Copyright © 2016 by Theunis Geraldo Baronto Marinho

Todos os direitos desta edição são reservados à Editora Gente.

Rua Wisard 305, sala 53
São Paulo, SP – CEP 05434-080

Telefone: (11) 3670-2500

Site: http://www.editoragente.com.br

E-mail: gente@editoragente.com.br

Dados Internacionais de Catalogação na Publicação (CIP)
Angélica Ilacqua CRB-8/7057

Marinho, Theunis Geraldo Baronto
  Sonhar alto, pensar grande: lições de um brasileiro que enfrentou os obstáculos e tornou-se presidente de uma multinacional / Theunis Geraldo Baronto Marinho. – São Paulo: Editora Gente, 2016.
  224 p.

ISBN 978-85-452-0092-5

1. Sucesso nos negócios   2. Autorrealização   3. Liderança
4. Administração de empresas   5. Profissões – Desenvolvimento
I. Título

16-0155   CDD 650.1

Índice para catálogo sistemático:
1. Sucesso nos negócios 650.1

"De forma simples e sincera, Theunis conta sua trajetória pessoal e profissional expondo todas as adversidades e lições aprendidas até sua chegada ao topo. Mais do que uma autobiografia, porém, *Sonhar alto, pensar grande* é uma grande reflexão sobre carreira e sucesso. Leitura agradável e essencial para todos que pretendem escalar, sobreviver – e crescer – no 'Everest Corporativo'."

DANIELA DINIZ
Editora Sênior das revistas *Você S/A* e *Você RH*

"Theunis parece subverter Carlos Drummond de Andrade, que afirmava que as montanhas escondiam o que era Minas Gerais. Mineiro de Alto Rio Doce, ele escancara as subidas (e, em alguns casos, descidas) das montanhas da vida corporativa e leva ao leitor, em uma série de andanças, lições valiosas para a vida e a carreira, aprendidas desde a infância, a mesa de RH ao seleto grupo dos CEOs."

GUMAE CARVALHO
Editor da revista *MELHOR – Gestão de Pessoas*

"Theunis nos presenteia com um corajoso compartilhar de experiências, desde a sua infância, que nos inspiram em transformar as dificuldades da vida em aprendizado. Brinda-nos com os relatos de desafios, aprendizados e a evolução de sua carreira na corporação Bayer enfatizando momentos agradáveis, outros nem tanto, porém, sempre mantendo foco e pensamentos positivos que são sua marca pessoal. A leitura deste livro e suas atuais atividades em voluntariados, coaching, mentorias e conselhos de administração nos dá força e determinação para escalarmos o 'Everest Corporativo'. "

JOSÉ AUGUSTO FIGUEIREDO
Presidente da LHH Brasil e Vice-Presidente Executivo para América Latina
Membro do Conselho Global do International Coach Federation (ICF)

"Em um contexto de referenciais mais fluídos e velozes transformações, Theunis nos traz, através de uma linguagem que fala para os nossos corações e do uso de suas experiências, elementos essenciais para um posicionamento sóbrio e vencedor. O conteúdo deste livro é um porto seguro para refletirmos sobre questões cada vez mais ambíguas que cercam nossas ações e decisões.

Recomendo sua leitura a todos quantos vivenciem ou almejem vivenciar posições de liderança, a todos que sintam a necessidade de compreender melhor os processos pelos quais suas vidas são decididas nas organizações e àqueles que tenham como missão ou desejo ajudar as organizações a aprimorarem a forma de gerir pessoas."

JOEL DUTRA
Professor e pesquisador da FEA-USP dos temas
e disciplinas relacionados à gestão de pessoas

"Esta obra é um aprendizado para a vida e para a carreira daqueles que se propõem a compreender que 'as lições aprendidas no meio do caminho' são nossos alicerces do hoje e do futuro. Esse relato da vida do Theunis é uma escola que se mistura a todo o tempo com o aprendizado de lidar com o outro, consigo mesmo e com os desafios que se apresentaram. Este livro leva-nos a rever nosso olhar sobre o mundo corporativo, nossa trajetória profissional e ter como aprendizado a coragem de transpor barreiras que, em muitos casos, estão em nós mesmos."

LEYLA NASCIMENTO
CEO do Instituto Capacitare
Presidente da Federación Interamericana de
Asociaciones de Gestión Humana (FIDAGH)
Presidente do Conselho Deliberativo da ABRH Brasil

"Desfilam perante os olhos do leitor atento uma série de ensinamentos, através de relatos e testemunhos de inestimável valor humano. Com sua profunda sabedoria herdada dos pais, juntamente com sua organização e disciplina, forjadas na carreira executiva de sucesso em uma das mais tradicionais corporações alemãs, Theunis abre seu coração e nos brinda com uma literatura cativante e sincera, repleta de emo*ções* e que serve de aprendizado e inspiração. Esteja o leitor onde estiver: no hotel Adlon em Berlim, num escritório em São Paulo ou na boca de um fogão a lenha mineiro, certamente se deliciará com os 'causos' e ficará encantado com os ensinamentos."

MARCELO MUNERATO DE ALMEIDA
Presidente da Aon Brasil

Aos meus pais, Lia e Theunis, que nos seus atos cotidianos, de maneira incansável, proporcionaram aos quatro filhos: amor, carinho, abrigo sempre seguro e farto. Ela nos protegeu como uma leoa cuida de sua cria, mas nos preparou para uma vida independente. Ele nos deu bons exemplos de dignidade e não mediu esforços para nossa formação. Muita gratidão aos dois.

Trecho de uma carta que escrevi e entreguei à minha mãe com um buquê de rosas em 12 de maio de 2002, dia das mães: ...Você conseguiu muito por ter exigido pouco, foi longe por ter enfrentado os caminhos como eles são e não como gostaria que fossem. Você soube dar amor aos seus filhos e ser companheira do seu marido, sem condições prévias ou expectativas de recompensas. Por isso, ganhou tanto!...

AGRADECIMENTOS

Ao listar os nomes que, nas mais diversas formas, ajudaram-me a escrever este livro, fui tomado por dois sentimentos: a preocupação de ter esquecido alguém e o questionamento de como teria sido sem a ajuda deles. Ambos me deram calafrios. No primeiro, pelo sentimento de ter sido injusto. No segundo, pela certeza de que este livro não teria saído como eu queria. Nesta lista, que não segue uma ordem de importância dos nomes, mas sim uma cronologia do meu trabalho, quero compartilhar minha gratidão a vocês que me ajudaram nesta realização, que tem como principal objetivo encorajar pessoas comuns para sempre SONHAR ALTO, PENSAR GRANDE. Ao amigo Marcelo Nóbrega, por ter me motivado a contar minha história num livro. À amiga Maristela Petrili de Almeida Leite, que, ao ver a sinopse do meu livro me animou a ir em frente e apresentou-me ao grande escritor brasileiro Ignácio de Loyola Brandão, que me deu a honra de ler e comentar o livro. Nós nos tornamos amigos e ele deu-me muita autoconfiança ao presentear-me com nada mais, nada menos, do que a quarta capa. Quanta responsabilidade e quanta honra, Ignácio! À minha Rosana, pela leitura dos primeiros rascunhos e pelo apoio incondicional, horas a

AGRADECIMENTOS

fio, durante esse mais de um ano de trabalho, muitas vezes em fins de semana e madrugadas a dentro. Às minhas filhas, minha maior obra, Caroline, Juliane e Sabrine, ao meu irmão Antonio Alfredo, à prima Margareth, ao amigo Dr. Edilson Antonio Nunes, que leram o copião do livro no todo ou em parte e fizeram comentários e sugestões contributivas. Ao meu sobrinho Rogério Cury, que me deu orientações jurídicas sobre o mundo editorial. Aos amigos e grandes profissionais Daniela Diniz, Gumae Carvalho, Joel Dutra, José Augusto Figueiredo, Leyla Nascimento e Marcelo Munerato de Almeida, que encontraram as palavras para me honrarem e motivarem com seus *endorsements* encorajadores.

Ao Hermann Josef Strenger, presidente mundial da Bayer nos anos 1980, iniciador do programa de *job rotation* na corporação, ao Dr. Manfred Schneider, presidente mundial nos anos 1990, que apoiou minha ascensão profissional e todos aqueles que confiaram em mim e me deram oportunidades, muitos deles citados neste livro como parte importante da minha própria história. Dei muito de mim, mas também recebi muito.

À Rosely Boschini, um anjo que surgiu suavemente em minha vida na hora certa. Passou-me confiança e foi a grande "obstetra", que com tanta competência e carinho fez meu livro nascer. À Rosângela Barbosa, pela assertividade e paciência ao fazer a leitura crítica do livro e as correções necessárias.

Ao mestre e inspirador Roberto Shinyashiki, pela honra ao me presentear com o prefácio do meu livro.

NINGUÉM É DONO EXCLUSIVO DO
SEU PRÓPRIO SUCESSO. MUITA GRATIDÃO.

PREFÁCIO

Ao ler os originais do livro do Theunis, eu me lembrei de uma história antiga muito inspiradora.

Havia um senhor que ia todos os dias à floresta para recolher lenha seca para depois trocá-la por comida no vilarejo próximo de onde ele morava. Por anos e anos, ele seguiu essa rotina, um tanto quanto exaustiva, recolhendo a lenha e conseguindo sua refeição do dia ao fazer a troca.

Até que encontrou um sábio na floresta, que disse ter notado que o via ali diariamente pegando lenha. E o senhor explicou ao sábio: "É que eu troco a lenha por comida todos os dias no vilarejo".

O sábio então falou: "Caminhe um pouco mais, porque adiante existe uma mina de prata, e com um pouco de prata você poderá conseguir a comida de uma semana inteira, carregando menos peso".

O homem ouviu com atenção, mas não botou fé, ficou pensando que já andava pela floresta havia tantos anos, a conhecia como a palma da própria mão, então com certeza já teria ouvido falar da mina de prata. Passaram-se meses e a ideia continuava a martelar em sua cabeça, até que um dia dirigiu-se para o caminho apontado pelo sábio e encon-

PREFÁCIO

trou a mina de prata. Foi dito e feito: a partir desse dia, ele conseguia ir à floresta apenas uma vez por semana, e dali tirava o seu sustento.

Depois de alguns anos, ele reencontrou o sábio e agradeceu pelo conselho. O sábio, então, aproveitou a oportunidade e lhe avisou que mais adiante ainda existia uma mina de ouro, que certamente lhe garantiria a comida de todo o mês com uma única viagem. O velho, como sempre, reagiu com descrença, pois já estava contente com a mina de prata. Ele conhecia tão bem a floresta que achava impossível deixar passar uma mina de ouro! Por conta disso, ele levou mais de dois anos sem acreditar nessa informação até que um dia se lembrou do conselho do sábio e decidiu procurar a mina.

Ele encontrou ouro e começou a ir para a floresta apenas uma vez por mês, e o ouro garantia que ele comesse e vivesse bem e em paz.

Até que os dois se reencontraram e o sábio, que ficou contente ao vê-lo, avisou que existia ainda naquela floresta uma mina de diamantes, que garantiria a comida de um ano!

O senhor continuou desconfiado e demorou alguns anos para tentar ir além da mina de ouro, mas, como era de esperar, o conselho do sábio era válido e ele encontrou os diamantes.

Eu parei para pensar nessa história porque vejo muitas pessoas que carregam lenha, todos os dias, com muito esforço e sem ouvir os sábios que cruzam seu caminho, os sábios que sempre avisam: "Avance, ainda existem mais tesouros esperando por você!".

Sábios como Theunis Marinho.

Theunis surpreende pela leveza e pelo bom humor com que trata tudo em sua vida. No mundo corporativo, onde existe uma noção errônea de que devemos ser como tratores para resolver problemas, ele é uma raridade. Eu me impressionei com a história dele, mas ainda mais com sua forma generosa de enxergar a vida.

Mineiro de Alto Rio Doce, de origem simples, desde cedo teve como companheiras a disciplina e a capacidade de se adaptar; entendemos isso ao ler sua trajetória humilde e marcada pela família sofrida, mas resiliente e unida.

Theunis fez uma carreira de sucesso ao trabalhar na Bayer, uma tradicional empresa alemã, onde permaneceu por quase três décadas. Foi o que chamamos hoje de "Empregário" – o verdadeiro empreendedor da própria carreira. Theunis é o típico executivo que faz o empregador fazer qualquer coisa para trabalhar com ele. Morou tanto no Brasil quanto na Alemanha, tomando o destino nas próprias mãos e agindo para chegar aonde queria, que era o topo. Ele se tornou o primeiro brasileiro a ser diretor numa empresa que só tinha alemães em seu quadro diretivo, vindo do RH – o que só reforça sua paixão por gerir pessoas e levar mais gente com ele rumo ao topo. Depois ele foi para a Alemanha com toda a família e lá permaneceu por "oito invernos", como ele mesmo diz. Não satisfeito, ele se tornou presidente da Bayer Polímeros S.A.

Este livro conta uma história inspiradora, especialmente para aqueles que acreditam que é possível construir uma carreira de sucesso dentro de uma empresa, sem se tornar

PREFÁCIO

um empreendedor propriamente dito. Todos devem ser empreendedores da própria carreira, agindo na empresa em que trabalha como se ela fosse sua, em prol do sucesso e da inovação, o que é bom para a companhia e também para seus colaboradores. Tenho certeza de que, como conselheiro de muitas empresas, Theunis há de concordar comigo.

Adote os quinze mandamentos de Theunis Marinho não só para a sua carreira, mas para a vida, e assista aos resultados. Que este livro inicie a nova era da excelência para você.

Entretanto, lembre-se: o sábio pode falar das minas que existem adiante, mas é você que terá de caminhar até elas.

Existem muitos tesouros a sua espera.

Um abraço,

ROBERTO SHINYASHIKI
Médico, escritor e palestrante

SUMÁRIO

1. Solidão no alto do "Everest Corporativo"............................17

2. Quinze mandamentos para o sucesso no mundo corporativo.23

3. Machado de Assis que me perdoe 29

4. Meu primeiro emprego, culpa de uma barata 35
   A "casa sem açúcar".. 41

5. Meu nome será sua herança..53
   Gillette afiada igual navalha 60

6. A primeira "Carteira de Trabalho do Menor" 65

7. Sonhando alto, pensando grande 77

SUMÁRIO

8. **Estudando e trabalhando: aprendendo a aprender**..................87

9. **RH no DNA**...95

Gratidão, a mãe das outras virtudes 102

Gols anunciados × gols sonegados 106

Atrevimento quando a causa é justa 110

Bye, bye, Brasil, ou da lagoa para o mar........................... 114

Nem sempre se entra pela porta da frente 122

10. **E a família? Vai bem, obrigado** 129

11. **Batucando com Beethoven** 137

A Floresta Negra invade a Floresta Verde 143

Deu zebra no futebol.. 146

12. **Passaporte alemão ou uísque paraguaio?** 153

Para não ser o coelho da caçada....................................... 159

Uma corrida de obstáculos 165

Mais um mineiro em Brasília 172

Tem boi na linha 175

O acarajé que salvou minha vida...................................... 178

Hora da partida 184

13. **O termômetro da felicidade** 195

14. **O sucesso não tem culpados**... 201

SONHAR ALTO, PENSAR GRANDE

Epílogo – Manual de sobrevivência corporativa 209

Voltando aos quinze mandamentos 211

Um pouco mais de história 215

CAPÍTULO 1

SOLIDÃO NO ALTO DO "EVEREST CORPORATIVO"

SONHAR ALTO, PENSAR GRANDE

Quando penso na minha carreira, lembro-me claramente da associação que eu costumava fazer entre o caminho da ascensão e a escalada de uma montanha, seja o Everest, os Alpes, o Himalaia, o Pico da Neblina, seja qualquer outra imensamente alta. Quanto mais você sobe, mais solitário vai ficando; mais rarefeito é o ar e maior a dificuldade de respirar naturalmente. É quando você vislumbra uma certeza absoluta: bem poucos chegarão ao pico. Alguns vão desistir durante a dura caminhada; outros vão se deixar abater pelo cansaço ou pelo desânimo, perguntando-se: "o que estou fazendo aqui?"; "vale a pena isso?"; e muitos – acredite, talvez a maioria! – sofrerão a inevitável queda, muitas vezes, traumática.

Quem persistir descobrirá que as pressões por resultados e as cobranças contínuas por tudo o que estiver acontecendo serão suas únicas companheiras pelo resto da jornada, enfim, o peso da responsabilidade. Quando olhar em volta vai constatar que está sozinho e que nos momentos mais difíceis, continuará só. Absolutamente só. Porque não conheço outros triunviratos além do romano, com César e Pompeu, que tenham sido bem-sucedidos. Alguém já ouviu falar de empresas ou nações que tivessem mais de um mandatário máximo? Há tentativas em algumas culturas, mas dificilmente se perpetuam.

A questão indissociável atrelada a quem chegou ao topo, é a exigência da sua permanência. Vacilar significa morrer. Portanto, é aí que começa de fato o verdadeiro desafio: sobreviver no topo. Resistir, suportar, permanecer.

Como nas competições esportivas, não tenha ilusões: mais cedo ou mais tarde seu recorde será batido.

Então, prepare-se para enfrentar e, dependendo da sua força, vencer o maior de todos os desafios: a solidão do poder.

"A sala do presidente pode ser muito chique, até de grife, mas pode ser confundida com uma gaiola!" Eu costumava repetir essa frase para minha secretária desde que me dei conta da principal causa dessa tal de "solidão do poder". Diante de alguma observação da parte dela, arrematava: "Pode até ser uma gaiola de ouro muito bonita e elegante, mas não deixa de ser uma gaiola".

Foi assim que descobri rapidamente a importância de abrir a porta e deixar a luz entrar. Colocar a cara para fora de forma que sentisse literalmente a pulsação, a temperatura e o próprio "cheiro" que a empresa deixa no ar. Em outras palavras, jamais perder o contato e a convivência, que devem ser permanentes, com todos os níveis e, claro com o mundo lá fora.

O ideal mesmo é derrubar as paredes e criar um ambiente panorâmico, com toda a equipe núcleo próxima. Em muitas empresas, essa "ficha já caiu" há muito tempo.

Em decorrência da distância criada pelo poder é que muitas empresas contratam pesquisas de clima organizacional, em que as conclusões, invariavelmente, apenas esmiúçam o óbvio: "a Rádio Peão aumenta, mas não inventa". As redes sociais são bem mais rápidas do que os comunicados da liderança.

SONHAR ALTO, PENSAR GRANDE

Quem não entender esse mecanismo não estará preparado para se manter no topo. No mundo corporativo não existe mais "general de gabinete". A guerra é diária e do lado de fora! O campo de batalha chama-se mercado no seu sentido mais amplo.

Talvez a maior lição – em todo caso, uma das maiores – aprendida em mais de 28 anos na Corporação Bayer tenha sido esta: na "casca", ou seja, por fora, o topo da carreira é feito de muito glamour, mas lá dentro, no miolo, é pura solidão. Quem se deixa seduzir pode estar criando um afastamento perigoso. Não há nada pior do que se isolar no poder, principalmente quando as coisas não vão bem, quando faltam até os bajuladores de plantão. Acredite, quem quebra a casca e sai para o mundo é você.

Procure evitar essa cilada – por onde começa, aliás, o fim de muitos estadistas de palácio e generais de quartel.

Escolher batalhar para ser campeão não é uma meta fácil – e, não se iluda, ninguém é campeão só "por sorte" ou por apenas dominar tecnicamente o que faz. Sempre precisará do faro, do apoio e da capacidade de se relacionar com todo o time. Da mesma forma, na condução de um negócio, inclusive, ou sobretudo, em meio a tempestades, o líder vai precisar contar com uma equipe talentosa, feita de profissionais bem formados, prontos a apoiá-lo, e uns aos outros, e capazes de receber e passar a "bola" na hora certa.

Eis aí outra lição que me foi necessária e útil: a compreensão do processo pedagógico em que o pessoal e o profissional estão interligados de maneira permanente e íntima.

Por sinal, nossa vida é feita de lições desde a primeira infância. Cabe a cada um desenvolver suas capacidades de assimilá-las ou ignorá-las. O mundo é feito de aprendizados, desde que estejamos dispostos a nos abrir para eles. E nem sempre podem ser vistos a olho nu: é preciso estar disposto a enxergá-los com os olhos de quem realmente quer ver. O exercício da observação pode ser realizado em tudo o que nos cerca. Como um teste, experimente assistir a um filme na companhia da família ou de amigos. Todos podem ter gostado do filme, mas, no fim, terão um entendimento diferente sobre aquilo que viram e ouviram. De acordo com o grau de interesse ou de atenção de cada um, conforme a expectativa, a experiência e a concentração individuais, cada membro do grupo processará e contará um filme diferente. Porque os ensinamentos da vida, afinal, são recebidos, assimilados e filtrados pelos olhos de cada um.

Devemos aceitar ou absorver os acontecimentos da vida como desafios para aprender e crescer cada vez mais — como você verá ao longo de uma trajetória que começou aos 6 anos. E, para um menino nascido no seio de uma família simples, na pequena cidade mineira de Alto Rio Doce, quero acreditar que não me saí nada mal.

CAPÍTULO 2

QUINZE MANDAMENTOS PARA O SUCESSO NO MUNDO CORPORATIVO

SONHAR ALTO, PENSAR GRANDE

DURANTE MINHA CARREIRA, FUI COLECIONANDO as lições aprendidas ao longo do caminho. Reuni aqui as que considero principais.

I . Sonhe alto e faça planos desafiadores para o futuro. Lembre-se: nossos olhos não ficam na nuca.

II . Não delegue seu destino a terceiros.

III . Aprenda a dizer não, sempre que necessário e na hora certa.

IV . Não cultive relacionamentos destrutivos. Eles são epidêmicos.

V . Discipline-se com pensamentos positivos. A vida fica mais suave.

VI . Reflita sobre as consequências dos seus atos antes de colocá-los em prática.

VII . Cultive suas amizades, mesmo que sejam passageiras.

VIII . Aprenda com seus erros. Eles são ótimos "professores".

IX . Não sofra por antecipação.

X . Não apague seu passado. Ele é seu alicerce mais profundo. Negá-lo é tornar-se um "indivíduo falsificado".

XI . Não adie as soluções para seus problemas. Resolva-os respeitando o tempo e todos os envolvidos.

XII . Perdoe quem já o magoou. Você desocupará espaços para preenchê-los com coisas boas.

XIII . Estude sempre.

XIV . Errar é inevitável.

XV . Tenha bom humor.

Pretendo falar muito de pequenas e grandes lições que colecionei ao longo da vida. Várias delas resumem-se aos Quinze Mandamentos que estão contidos nas assertivas anteriores.

Maiores ou menores, foram muitas as lições, entre elas aprender a conviver e a encontrar maneiras de "compensar" a solidão do poder no topo da pirâmide organizacional. Outra lição decisiva é a que ensina que só se atinge de fato o sucesso quando se aprende a medi-lo e avaliá-lo corretamente. Ou seja, quando se compreende que ele deve ser mensurado tomando-se como régua não apenas a chegada, mas também o ponto de partida.

Para quem, por exemplo, nasceu numa comunidade pobre, em situação de risco, chegar a ter uma profissão autônoma e lícita ou um emprego estável, numa boa empresa, pode sinalizar um sucesso maior do que o de um George W. Bush, que praticamente já "cresceu" filho de um presidente norte-americano e sócio de um conglomerado petrolífero. É simples assim – no caso dele, é claro! Embora isso não tire o mérito de ninguém, encurta muito a distância entre a base e o topo do Everest Corporativo.

Algumas pessoas já nascem com o sopro do vento a favor: além de suficientemente inteligentes, pertencem a uma família rica, com recursos para financiar os sonhos delas. Gente com esse *"pedigree"* só não será alguém na vida se for muito imprudente, se tiver limitações de saúde ou se for tola a ponto de desperdiçar as oportunidades que a vida lhe ofereceu de bandeja ou, muitas vezes, graças à educação familiar que recebeu, que não merece esse nome. No outro extremo, há pessoas que nascem em famílias pobres e humildes, mas são dotadas de qualidades bem acima da média em determinada área – como Pelé, Neymar ou Barack Obama, por exemplo. É evidente que além do talento nato, que inicialmente muitos podem ter, souberam contornar as adversidades e aproveitar o vento a favor, lutando com bravura contra o ponto de partida desfavorável para chegar aonde chegaram. A verdade, porém, é uma só: a maioria das pessoas que conseguem "chegar lá" acerta o alvo não porque seja genial ou especial, como se escolhida por algum dedo mágico, mas porque ama o que faz, chega ao limite do seu possível, é resiliente e cumpre o princípio de que "o bom cabrito não berra". Para essa imensa maioria, que somos todos nós, o que pesa mesmo é nossa capacidade de superação. Como na diferença essencial, por exemplo, entre Garrincha e Pelé – este já nasceu especial, ao passo que aquele precisou se superar.

No que se refere a mim, considerando meu ponto de partida e até onde cheguei, se consegui alguma coisa foi também porque aprendi a me superar, mas principalmente porque aprendi a aprender, como se fosse possível criar um ciclo virtuoso do aprender o que se quer nesta vida. No fim das contas, o sucesso é a arte de nunca parar de aprender e sempre usar o aprendizado.

O que mais, afinal, um homem pode transmitir com mais honestidade do que sua história vivida?

Mais do que um livro sobre minha experiência profissional, pretendo que esta seja uma reflexão sobre a própria ideia de sucesso – a consciência de que ele é feito e mantido de aprendizado contínuo e permanente, "até que a morte nos separe".

Uma sugestão: se você é jovem e quer acelerar seu aprendizado, estude e "cole" nos mais velhos. Se é mais velho e quer continuar jovem, continue estudando e "cole" nos jovens.

CAPÍTULO 3

MACHADO DE ASSIS
QUE ME PERDOE

SONHAR ALTO, PENSAR GRANDE

AO CONTRÁRIO DO GRANDE ESCRITOR Machado de Assis, que ao se comparar com as plantas dizia ter se apegado ao hábito de viver sempre no mesmo lugar onde havia nascido, às vezes penso que minhas raízes foram plantadas num vaso. Daí a facilidade de poder transportá-las de um lado para outro. Vasos, afinal, são práticos de carregar. Com apenas 8 anos, eu já havia morado em seis cidades: além da mineira Alto Rio Doce, onde nasci, em 5 de agosto de 1951, passei a primeira infância mudando seguidamente de Angra dos Reis para Ubá, de Belo Horizonte para Socorro e de lá para São Paulo.

Não que meu pai tivesse "rodinha nos pés". É que seu trabalho como funcionário dos já falecidos e enterrados bancos Comércio Indústria e Nacional, aliado à sua vontade de crescer, apesar do "ponto de partida inicial" muito desfavorável, fazia com que sempre fosse o convocado para "apagar os incêndios" aqui e ali. E lá íamos nós para uma nova cidade e, de certa forma, para um novo recomeço.

"Acho que pertenço a uma estirpe não de nômades, mas de desbravadores!" Digo isso a mim mesmo com certa frequência porque essa sensação tem me acompanhado por toda a minha vida.

De meu pai, Theunis, herdei bem mais do que o nome. Aliás, como sou um otimista inveterado, herança da minha "mãe profissional", Lia, digo que tive o privilégio de herdar o nome de meu pai, um homem honrado, exemplo para nós, seus filhos.

MACHADO DE ASSIS QUE ME PERDOE

Desde já, porém, posso adiantar que aprendi e ganhei bem mais do que eles pudessem imaginar estar me dando. Com esses deslocamentos contínuos começou a brotar em mim uma capacidade de adaptação e flexibilidade, muito embora eu não tivesse plena consciência disso na época, por ser apenas uma criança, que me seriam de grande utilidade na vida pessoal e profissional.

Foi com as idas e vindas de "planta criada em vaso", trabalhando na Alemanha por oito invernos seguidos e viajando por mais de cinquenta países, por exigência profissional, que aprendi e vivenciei aquilo que fez de mim o que sou: um homem que assimilou o valor do aprendizado e a importância de utilizar o que de mais positivo uma experiência pode oferecer. Não tenho dúvida de que o desafio de conviver com tantas mudanças ao longo da vida me ensinou a aceitá-las e até a desejá-las, como necessárias e, principalmente, estimulantes.

Para as novas gerações, criadas sob a égide da instantaneidade do celular e de todo esse universo da internet, deve ser difícil imaginar o que eram os deslocamentos e as viagens naquele tempo.

Só para ter uma ideia, conto aqui, em rápidas pinceladas, o que foi a nossa primeira mudança, de Alto Rio Doce para Angra dos Reis, para onde meu pai havia sido transferido pelo Banco Comércio e Indústria de Minas Gerais. Era uma grande promoção de faz-tudo, em Alto Rio Doce, para contador, em Angra.

SONHAR ALTO, PENSAR GRANDE

Meu pai com 31 anos, minha mãe com 25, meu irmão Antônio com 3, eu com 2 e minha irmã, Teresinha, com 1 ano, ainda em amamentação. Lá fomos nós cinco, até Barbacena eram apenas 54 quilômetros de micro-ônibus. Agora tente imaginar esse pequeno trajeto numa estrada construída braçalmente à picareta, na qual passavam duas carroças ao mesmo tempo, ou vários cavalos, porém mal dava para rodar um carro. De lá seguimos de trem da Central do Brasil até o Rio de Janeiro: eram mais 300 longos quilômetros. Depois de dormirmos uma noite num hotel carioca, retomamos a viagem para Angra, nosso destino final. Mais 180 quilômetros serra abaixo – iguais, ou piores do que os 54 do primeiro trecho!

Não pense o leitor que a aventura acabou, pois ela mal começou. Na descida da serra, o ônibus quebrou – e como quebravam os ônibus naquela época! Ficamos horas intermináveis na estrada de terra poeirenta, enfrentando a fome e o desconforto e nos sentindo verdadeiros flagelados, enquanto aguardávamos algum tipo de socorro – e, é claro, não necessariamente o conserto do veículo.

Foram 48 horas de deslocamentos para rodar 534 quilômetros, ou seja: média de 11 quilômetros por hora. Quando minha mãe contava essa epopeia, dizia com humor: "Chegamos felizes ao nosso objetivo. A cavalo teria sido pior". Hoje em dia, quando assisto ao vivo nos noticiários fluxos de milhares de famílias que tentam fugir por terra e água de suas pátrias em guerra, muitas delas levando filhos recém-nascidos nos braços, alguns morrem no meio do caminho,

33

fico imaginando que diante disso nossa viagem deve ter sido de férias.

Bem, como não pretendo fazer deste livro nenhum prontuário de sofrimentos nem um relatório de autocomiserações, digo que é com humor, alegria e orgulho que relato os tempos difíceis. Foram eles, afinal, sempre com apoio dos meus pais, que semearam em mim a vontade de sonhar alto e pensar grande.

Em suma, aprender a aprender, cada vez mais. E como tenho aprendido! Desde muito cedo, aceitando os desafios que a vida nos vai impondo e – o mais importante – sem me lamuriar.

CAPÍTULO 4

MEU PRIMEIRO EMPREGO, CULPA DE UMA BARATA

SONHAR ALTO, PENSAR GRANDE

CERTA VEZ, EM ALTO RIO Doce, meu pai procurou o jovem médico e amigo, João Batista Viana – o doutor Nonô – para relatar-lhe um fato que o havia deixado bastante intrigado. Certa madrugada, ele observara dentro do peniquinho do filho mais velho, Antônio, então com 3 anos, uma barata bem viva que se regalava no xixi do meu irmãozinho.

"A barata caiu no penico, mas ela sabe nadar, uai!", disse o doutor Nonô com seu humor peculiar. E, para tranquilizar meu pai, completou: "Não fique procurando doença em seu filho, homem! O menino só precisa comer mais para crescer e engordar, senão daqui a pouco o segundo filho vai passar o tamanho do mais velho..."

Contudo, meu pai continuou intrigado e decidiu procurar uma barata viva e vistosa e fazer um experimento: jogou-a dentro de um penico com sua urina. Não deu outra, a barata amanheceu morta. Voltou ao amigo doutor Nonô e contou-lhe a história. O doutor Nonô deu uma gargalhada e disse-lhe: "Então essa barata não sabia nadar, ou seu xixi é um veneno". Implicado com a piada, meu pai disse: "Nonô, isso ainda não está resolvido, nesse mato tem coelho".

Dois anos e meio mais tarde, quando já morávamos em Belo Horizonte, o peniquinho do meu irmão mais uma vez chamou sua atenção – provavelmente por trazer-lhe à lembrança aquele algo "não resolvido".

Não pensou duas vezes: molhou o dedo no xixi e levou-o à língua. Foi a conta para instalar-se o pânico. Ficou assustadíssimo ao constatar que o líquido era muito açucarado, parecia um vinho doce. Daí, concluiu: "Meu filho tem uma doença grave e preciso descobrir o que é!".

Não deu outra, meu irmão mais velho, com 6 anos, foi diagnosticado com diabetes tipo 1, ou seja: herança genética.

Morávamos em Belo Horizonte e nessa época os recursos da Medicina estavam ainda bem longe do que temos à nossa disposição hoje em dia.

Antônio era uma criança mais fraca e sofria de constantes mal-estares. Nenhum médico acertava o diagnóstico.

Isso me marcou para sempre. Ao mesmo tempo que desenvolvia um comportamento de proteção e compreensão quanto aos meus dois irmãos, o mais velho por ser diabético e o mais novo por ser o caçula, já vivenciava um senso de responsabilidade, de disciplina, de decisão – quando o mais velho tinha uma crise de hipoglicemia e desmaiava na escola (por muitos anos estudamos na mesma sala), eu já entrava em estado de alerta, tirava da minha lancheira o saquinho de papel com açúcar e com o dedo ia introduzindo açúcar na sua boca, que estava travada. Aos poucos, ele ia ressuscitando. Sofria por eles, mas também ia ganhando um senso de utilidade, e isso me fazia bem. Era um grande aliado da minha mãe na tarefa de ajudar a cuidar da saúde dos dois. Vivíamos aquilo juntos, apesar da minha pouca idade. Tinha a sensação de caminhar com as próprias pernas. Acho que a grande recompensa vinha na técnica motivacional da minha mãe, que me chamava de *meu amiguinho*.

Esse senso de disciplina e determinação me ajudaram muito quando, depois de algumas incursões juvenis, cheguei ao meu primeiro emprego formal, aos 17 anos. Meu principal objetivo era comprar o primeiro carro quando completasse 18 anos. Não deu outra, antes de completar 19 anos, tirei minha carteira de motorista e comprei meu fuscão "verde cocô". Nessa cor o carro era mais barato.

Isso marcou minha vida, pois sempre que me lembro dos carros que tive até hoje, esse foi o mais importante.

Tenha sempre projetos para o futuro. Nossos olhos não ficam na nuca.

O importante mesmo é ter a coragem de ser um vencedor. A coragem de nunca desistir!

Acredite, determinação pode não ser tudo, mas é essencial, indispensável.

Eu mesmo sou fruto da vontade determinada do meu pai. Desde que a garota Lia tinha 13 anos, e ele 19, a parentes e amigos costumava discretamente confessar: "Quando a Lia crescer vou bater na porta do senhor Baronto... Porque essa menina vai ser a minha esposa".

Nessa época meu pai trabalhava na loja de tecidos e armarinhos "A Primavera". E para avançar na vida e realizar seus planos, precisou estrategicamente recuar: saiu da loja e começou a trabalhar – com salário menor – como contínuo do Banco Comércio e Indústria de Minas Gerais, em Alto Rio Doce.

A agência tinha só três funcionários; ele, o gerente, Geraldo Arantes, que foi quem o convidou para entrar no Banco, e o contador, Tarcísio Paiva, que gostava muito do meu pai e o treinava em serviços de contadoria. No novo serviço, chegava cedo para varrer a agência, atendia o balcão, trabalhava no caixa e ainda viajava de ônibus a Barbacena para buscar e trazer numerário – a linguagem bancária para dinheiro. E isso sempre num embornal – discreta sacola de lona que nunca levantou suspeita entre punguistas ou assaltantes.

Apesar das dificuldades, meu pai estava determinado – olha aí a palavra de novo – porque conseguia vislumbrar ali um horizonte que não enxergava na loja. Os desafios, porém, não eram pequenos. Um dia, Tarcísio foi transferido para a cidade Santos Dumont, e Geraldo Arantes ficou doente – acabou morrendo de tuberculose. Só foi substituído seis meses depois. Diante das circunstâncias, meu pai ficou sozinho na agência, atuando como homem-orquestra: contínuo, contador e gerente.

Tente imaginar um universo bancário em que as contas eram feitas de cabeça, pois não existiam calculadoras. Tudo, da contabilidade às promissórias, era feito à mão, à base de caneta-tinteiro de pena.

Àquela altura, já tinha motivação mais do que suficiente para tanto empenho: já namorava minha mãe, Lia!

"Quando eu conseguir ganhar 900 cruzeiros por mês a gente se casa!", prometeu à amada.

Os termos da promessa de casamento incluíam continuar ajudando sua mãe viúva, Alayde, na manutenção das cinco irmãs solteiras e construir a própria família.

Promessa feita, promessa cumprida. Atingida a meta dos 900 cruzeiros, meus pais se casaram em 16 de julho de 1949.

SONHAR ALTO, PENSAR GRANDE

A "casa sem açúcar"

Antes de convidar o leitor a entrar na "casa sem açúcar", preciso retomar um pouco o conceito de resiliência, que vem da Física e foi tomado de empréstimo à Psicologia e que, trocado em miúdos, significa a capacidade que o indivíduo desenvolve para lidar com problemas, superar obstáculos ou resistir à pressão de situações adversas – desafios, choques ou estresses – sem entrar em surto. Faz fronteira com uma ideia fundamental do senso comum: transformar dificuldades em oportunidades. Ou, como costumo traduzir em entrevistas, palestras e cursos: discipline-se com pensamentos positivos.

Isso, para mim, também começou muito cedo – junto com a primeira "bomba" que explodiu sobre minha família: finalmente o "crime da barata" foi desmascarado.

Quando nos mudamos para Belo Horizonte, Antônio, meu irmão mais velho, então com 6 anos, começou a passar mal. Foi perdendo peso e, a certa altura, já nem conseguia andar direito. Ninguém sabia o que era, até que surgiu o terrível diagnóstico: diabetes juvenil ou tipo 1, que é congênita.

Antônio Alfredo precisou ser internado. O médico que o atendeu no hospital, doutor Mário, passou a ministrar-lhe insulina. No entanto, foi muito franco com minha mãe e admitiu com a humildade dos sábios: "Dona Lia, eu não tenho competência para tratar seu filho, não vou dar conta. A senhora vai ter de procurar o doutor Nelson Ziviani, aqui mesmo em Belo Horizonte, que é o clínico que melhor conhece diabetes na cidade. Só ele poderá tentar fazer algo pelo menino".

O doutor Mário referia-se a um diabetólogo, o nome que se dava naquela época ao especialista no ramo da Medicina que se dedicava a estudar e pesquisar a doença.

Minha mãe, claro, entrou em pânico, como qualquer mãe entraria diante do quadro de sofrimento e angústia por que passava seu filho. Aliás, toda a família. Na época, a literatura médica tratava o diabetes como doença com grande risco de morte no curto prazo, se mal cuidada e, no máximo, trinta anos de vida se diagnosticada a tempo e bem tratada, como parecia ser muito difícil no Brasil daquela época, mesmo sendo Belo Horizonte uma capital. Embora uma época de sofrimento para todos nós, foi também um tempo de intensa união. Acho que hoje, o nome disso seria *crise management*.

Eu, nos meus 5 anos, coadjuvante daquele drama, quando meu irmão foi para o hospital e lá ficou por três meses, na minha imaginação infantil assimilei que ele não existia mais, tinha morrido, pois sua cama, ao lado da minha, passou a ficar "eternamente" vazia. Como naquela época criança não podia visitar criança em hospital, acreditava menos na conversa da minha mãe do que na falta "eterna" do meu irmão na sua caminha ao lado da minha. Isso era o fato real para mim. Acho que associei que a internação de uma criança num hospital ou a morte eram a mesma coisa.

Um belo dia, não é que meu irmão reapareceu lá em casa? "Ah, você está vivo? Então vou te mostrar o nosso

SONHAR ALTO, PENSAR GRANDE

quarto e vamos brincar." Achei-o menor do que quando saiu de casa, mas acho que fui eu que cresci alguns milímetros, enquanto ele gastava o restinho da saúde que tinha para sobreviver, graças ao doutor Ziviani, que fez desse desafio um *case*.

Quando parecia que os efeitos desse furacão, que chacoalhou nossa jovem família, haviam passado, eis que as nuvens negras reapareceram: meu irmão caçula, com apenas 1 ano, foi também diagnosticado com diabetes. Muito sofrimento, mas meus pais já tinham, pelo menos, know-how para enfrentar mais uma grande tormenta. Era impressionante a força da minha mãe, amparada na sua fé religiosa, para enfrentar tudo isso.

Se, por definição, emprego é vender sua força de trabalho por determinada remuneração, diariamente, dentro de um horário preestabelecido, seguindo um *job-description* e um *delivery* com qualidade e, tarefa cumprida, receber uma recompensa, meu primeiro emprego foi, então próximo aos 6 anos na "casa sem açúcar".

Foi quando minha mãe me "contratou" para fazer todos os dias o teste de glicemia em jejum – para medir o nível de açúcar na urina do meu irmãozinho caçula, o José Eduardo, de apenas 1 ano, enquanto ela fazia o mesmo exame em meu irmão mais velho, o Antônio Alfredo, então próximo dos 7 anos.

Mais uma vez lembrando que este livro não é um muro de lamentações, e sim minha história pessoal de crescimento e superação, é melhor ir direto ao ponto: foi graças ao diabetes do caçula, José Eduardo, que ganhei meu primeiro trabalho.

Naquela época, media-se o grau de glicose no sangue apenas nos hospitais, fazendo punção nas veias. Não havia esses aparelhinhos eletrônicos modernos, com ajuda do computador, que não só medem como traçam um gráfico semanal. Tudo era muito rudimentar. Era preciso medir o índice de açúcar na primeira urina da manhã. Como eram dois irmãos, surgiu minha primeira grande oportunidade profissional, uma vez que meu pai saía de casa às 5h30 para o trabalho. Fui motivado e "convidado" pela minha mãe para o meu "primeiro emprego". O *job* era: ser acordado às 6 horas da manhã e ir com ela para a cozinha, no começo ainda meio no colo; pegava um pedaço de algodão, embebia em álcool e colocava-o sobre um canto da pia de pedra; pegava um tubo de ensaio e enchia-o cuidadosamente com aproximadamente três dedos da primeira urina da criança logo pela manhã – por ordem da minha mãe, eu usava quase minha mãozinha inteira para aproximar-se da mesma medida; segurava o tubo de ensaio com uma tira de jornal para deixar meus dedos a uma distância de modo que não fossem queimados pelo calor quando pusesse fogo no algodão e a urina começasse a ferver. Aí, com um conta-gotas, punha três gotas de um produto chamado Reativo de Benedict. Se essa mistura ficasse verde, bingo!, meu irmão não tinha açúcar na urina. Se ficasse alaranjada tinha glicose e se fosse na direção do vermelho, alarme: muita glicose! Daí para a frente, o resto do trabalho era com a chefe. Na prática, meus dois irmãos tomavam injeção de insulina todos os dias. O exame servia apenas para definir a dosagem. Como seria para o resto da vida, havia um sistema de rodízio da aplicação em oito locais do corpo, para evitar o risco de atrofia muscular. Nádegas, braços, pernas e os dois lados da barriga.

Este era o exame que minha mãe fazia em Antônio diariamente, às 6 da manhã. Foi quando meu segundo irmão ficou diabético que meus dois dedinhos entraram em ação.

Com todo amor e carinho que, cá entre nós, nela transbordavam, ela me "contratou". "Você vai precisar acordar todos os dias às 6 horas da manhã para me ajudar, porque agora temos dois pacientes. E o 'serviço' tem de ser feito ao mesmo tempo! Depois você volta a dormir, meu anjo."

E assim foi, sem dramas nem lamentações. Enquanto ela aplicava o teste no Antônio Alfredo, eu fazia no José Eduardo. Claro que demorei um pouco a pegar a prática e é óbvio que queimei meus dedinhos nas primeiras vezes – mas durante cerca de uns dois anos, fui um enfermeirinho exemplar. Posso dizer que me saí bastante bem nesse primeiro emprego, se considerarmos que além do horário ingrato para uma criança, exigia certa competência técnica para a qualidade do resultado da entrega. A recompensa não era monetária, mas vinha na forma de beijos de minha mãe, elogios e o prazer de voltar a dormir me sentindo "o cara".

Quando me lembro do meu passado, minha infância, quando resgato coisas muito distantes, percebo claramente que esses acontecimentos marcaram minha vida para sempre. O sentido da obrigação. Depois, de proteção.

Porque todo esse processo não parou por aí. Minha mãe, que teve apenas a educação escolar básica, começou a estudar tão profundamente o diabetes que aprendeu depressa tudo o que se conhecia sobre a doença naquela época. Ela introduziu novos hábitos alimentares às refeições e toda a família foi se acostumando rapidamente às frutas e aos legumes... E nenhum doce.

Minha casa acabou se tornando a "casa sem açúcar". Convenhamos que foi uma forma suave, e até poética de enfrentar, e driblar, um problemão. Acho que é por isso que até hoje não sinto nenhuma atração especial por doces. Se tivesse de cortar da minha dieta algum alimento para o resto da vida, e pudesse escolhê-lo, certamente seria o doce.

Não pense você que tudo isso tenha sido imposto como se fosse um regulamento rígido a ser cumprido à risca, ou sujeito a punições, imposições e castigos. A coisa toda foi acontecendo naturalmente. Dentro dos conhecimentos disponíveis então, minha mãe procurava se informar ao máximo sobre as vantagens nutritivas de frutas e legumes e desenvolveu uma espécie de marketing amoroso tão especial, mas tão especial, que logo se tornou natural que nossa casa, ao contrário das outras, em vez de doces, fosse repleta de frutas e legumes.

Tínhamos em casa um livro sobre diabetes escrito por um padre. E nele estava escrito, nunca me esqueci: o diabético é como o peixe, morre pela boca. Quando íamos às festas de aniversário dos amiguinhos, eu ficava distraindo meus irmãos para não se aproximarem da mesa de doces. Pensava comigo mesmo: "lá está cheio de 'anzóis', querendo fisgar esses dois peixinhos". E, claro, por solidariedade, eu também não comia os doces".

Contudo, a lição de responsabilidade em relação a meu irmão caçula não foi a única assimilada nesse período. Tudo se aprende quando nos abrimos às lições da vida. E, nisso, minha mãe era uma grande mestra. Por essa razão este capítulo não estaria completo se não incluísse, aqui, outra lição que o enfrentamento do diabetes de meus dois irmãos me transmitiu.

Eu conto. Quando tinha 7 anos e morávamos em Socorro, no estado de São Paulo, levei um tombo na escadaria de um vizinho, em frente à minha casa, que era vizinha ao Clube XV de Agosto. Atravessei a rua com a "cabeça rachada" e sangrando muito. Corri para minha mãe, é claro, que me socorreu imediatamente, com seu avental sobre o vestido, ambos imaculadamente limpos. Ela saiu correndo pelas ruas, até o consultório do doutor Maneco, comigo no colo. O percurso não era tão curto se considerarmos as seis quadras de distância com uma criança de 7 anos nos braços! No meio do caminho ainda encontrou alguém conhecido a quem pediu que chamasse meu pai no banco, que ficava perto do consultório, e retomou a corrida pelo meu socorro. O doutor Maneco estava dando sua cochilada pós-almoço e não demonstrou grande boa vontade em nos atender, até que notou o vestido de minha mãe coberto de vermelho e o sangue que jorrava da minha cabeça aos borbotões.

MEU PRIMEIRO EMPREGO, CULPA DE UMA BARATA

Nunca é demais repetir que os tempos realmente eram outros e os recursos, um pouco precários. Imediatamente o médico escalou minha mãe como uma espécie de enfermeira improvisada e, como sua "assistente", devia segurar minha cabeça para que ele pudesse limpar o corte de quatro centímetros com água oxigenada e prepará-lo para a sutura. A sutura consistia em literalmente grampear meu couro cabeludo, com grampos de metal parecidos com aqueles dos grampeadores de papel. Eles eram introduzidos na minha cabeça com as próprias mãos do doutor Maneco e fechados com um alicatezinho de ponta fina. Claro que tudo isso sem anestesia!

Tente imaginar essa cena de terror vivida por uma criança. Um verdadeiro pesadelo.

Eu, aos gritos, perguntava à minha mãe, como se pedisse socorro: "Ele vai enfiar isso na minha cabeça, mãe?".

Minha mãe, certamente com o coração partido pela dor, que embora fosse minha ela também sentia, de um jeito surpreendentemente doce, ao mesmo tempo corajoso e calmo, me lembrou ali do sacrifício diário dos meus dois irmãos: "Meu filho querido, pense no Antônio e no Zé Eduardo: todos os dias eles tomam injeções na perna, nas nádegas, nos braços e na barriga... Você vai tomar umas picadas, doloridas, é verdade, mas não a vida inteira. Isso passa!"

Para quem convivia com a dor diária dos meus irmãos, aquelas palavras tiveram um efeito mágico em mim. Doces milagres de dona Lia. Choro e gritos deram lugar na mesma hora à permissão tranquila para que o médico fizesse o que

SONHAR ALTO, PENSAR GRANDE

tinha de ser feito. E, sinceramente, não guardei nenhuma memória da dor. É claro que deve ter doído à beça, mas consegui, naquele momento, uma empatia milagrosa com meus irmãos. A dor passaria, como quase todas passam. Ficou a cicatriz de 4 centímetros, que trago até hoje, e a associo às milhares de marcas das picadas de injeção de insulina que meus irmãos ainda tomam.

Tempos depois, quando tinha uns 13 anos e meu pai já era gerente na maior agência do banco, na rua XV de Novembro, antiga *"Wall Street"* da região central de São Paulo, um primo de primeiro grau do meu pai deu um "telefonema interurbano" de Belo Horizonte para São Paulo e fez o convite, intimando: "Mande seus filhos para passarem as férias de julho comigo, aqui na fazenda em Alto Rio Doce".

Todos os primos se juntavam nas férias na fazenda do tio Oswaldo. Seria minha primeira "aparição" no pedaço, mas, enquanto meu pai falava no "interurbano" eu já levantava a mão, gritando "tô nessa!".

Éramos uns quinze jovens de várias idades e como era meu "batismo" na turma precisei conquistar meu espaço para ser aceito na "máfia". Fui me enturmando com os primos da minha idade e com ajuda da dona da casa, tia Lígia, deu tudo certo.

Tanto que no ano seguinte, na mesma época, voltei à fazenda e dessa vez consegui animar meu irmão, Antônio Alfredo, a ir comigo.

Ele curtiu à beça, mas os outros primos ficaram impressionados com o ritual que ele cumpria à risca todas as manhãs. Pegava sua latinha de alumínio, tipo marmita, com um frasco de insulina, um vidrinho de álcool, algodão, seringas e agulhas, que esterilizava em água fervendo (não havia descartáveis), e lá ia ele se autoaplicar as injeções – sempre no sistema de rodízio pelo corpo, já mencionado. Os primos assistiam à cena como a um espetáculo de terror. Uns queriam participar do "show", mas na hora "H" fechavam os olhos, outros suavam frio e fingiam um desmaio e havia também os que riam – talvez de nervoso.

Minha mãe era uma vitoriosa. Tinha preparado o filho, diagnosticado com diabetes aos 6 anos, para uma sobrevivência independente. Relembrando, naquela época, para a Medicina um diabético desde a primeira infância era um condenado a viver no máximo até os 30 anos, se bem cuidado. Meus irmãos Antônio Alfredo e José Eduardo estão vivos e saudáveis até hoje, um com 65 anos, o outro com 60 – um advogado e um dentista, ambos atuantes em suas profissões. O mais novo tem dois filhos.

E minha mãe, falecida aos 86 anos em março de 2015, pôde assistir a tudo isso de seu sofá. Com sua determinação, e ao lado do meu pai, falecido aos 91 anos em dezembro de 2012, salvaram suas crias, no início sob suas asas e depois ensinando-as a voar por conta própria. Claro que para um voo sem turbulências, meus irmãos, mais tarde, puderam contar com esposas-companheiras e com minha irmã, Teresinha Maria, a terceira na escadinha de irmãos, médica, por força das circunstâncias, com grandes conhecimentos sobre diabetes, que também fazem parte dessa importante vitória.

Ah, lembra que minha mãe tinha mandado um recado urgente para o meu pai, quando rachei a cabeça? Ele apareceu por lá, ficou completamente pálido diante da cena e logo disse que ia sair para comprar remédios para mim e já voltava. Claro que voltou, com uma injeção de penicilina, mas demorou o suficiente para não assistir a todo o procedimento de grampeamento na minha cabeça.

A "casa sem açúcar" deixava sua mais doce lição: pensar positivamente.

CAPÍTULO 5

MEU NOME SERÁ
SUA HERANÇA

SONHAR ALTO, PENSAR GRANDE

Meu pai nos disse certa vez, quando ainda éramos adolescentes: "A herança mais certa que deixarei para vocês será o meu nome. Vão poder dizer de boca cheia de quem foram filhos, sem ter de abaixar a cabeça de vergonha nem ouvir desaforo de ninguém. Se disserem que, apesar de ter sido executivo de um banco, não fiquei rico, vejam isso como um elogio, pois o volume de dinheiro com o qual trabalhava, por mais sedutor que possa ser, não era meu". Isso entrava em dose dupla na minha cabeça, pois eu carregava seu nome: Theunis.

Aquilo me impressionou muito. Ficou como um carimbo que me marcou definitivamente. Nunca roubar. Manter a consciência e o nome sempre limpos. Talvez essa tenha sido minha herança mais valiosa. Sim, cheguei a diretor financeiro da Bayer – mas de que me adiantaria agir como aqueles que flagrei e precisei demitir por má conduta? Se hoje eu tivesse o dobro do patrimônio que tenho, mas à custa de um nome sujo, me pergunto: seria digno dessa herança familiar? Definitivamente, o preço não justifica.

Meu bisavô paterno, José Joaquim Marinho da Cunha migrou de Portugal para Minas Gerais e comprou uma fazenda no distrito de São José do Chopotó, fundado em 1832, pertencente à comarca de Piranga, que em 1890 se tornaria no município de Alto Rio Doce.

Ele se casou com Maria Angélica da Motta Couto, mestiça de índia –, nascida em Catas Altas, e tiveram dez filhos, entre eles meu avô, Antônio da Motta Marinho, que cursou escola de Farmácia em Ouro Preto, mas foi abrir seu estabelecimento em Tabuleiro do Pomba, porque em Alto Rio Doce um primo já tinha farmácia e não "pegava bem" fazer concorrência a um parente.

E foi ali, em Tabuleiro do Pomba, que meus avós paternos se conheceram e se casaram. Tiveram treze filhos – meu pai era o sexto. Acontece que, meu avô morreu aos 49 anos, deixando a mulher e os treze filhos, que ficaram em grande dificuldade econômica. Pode-se dizer, sem nenhum exagero, que a família ficou, de fato, na linha da miséria.

Aos poucos foram se mudando para Alto Rio Doce e meu pai acabou morando de favor na casa de uma irmã mais velha – o que se tornaria fator marcante em sua formação, não só em relação a seus hábitos econômicos e domésticos. Para o fato de nunca ter fumado ou bebido, por exemplo, ele tinha uma explicação simples e convincente: "Jamais vou me meter em encrenca porque não tenho um pai para me defender!".

Conhecendo-o depois, como seu filho, acredito que ele não teria se metido em nenhuma encrenca mesmo que tivesse um pai para defendê-lo.

Ele tentou estudar e se consolidar em uma profissão e chegou a conseguir uma vaga na Escola Agrícola de Barbacena, mas as dificuldades eram tantas – imagine não ter dinheiro nem para o sabonete e o creme dental! – que ele acabou desistindo e voltando para Alto Rio Doce, onde foi trabalhar como balconista na loja "A Primavera", de cuja porta via minha mãe passar, e onde começou a nascer sua determinação de se casar com ela, como já contei.

Seu patrão e dono da loja logo percebeu o potencial do jovem vendedor e decidiu transferi-lo para a cidade de Conselheiro Laffayette, com a intenção de abrir uma nova filial e tê-lo como gerente. Daí a apresentá-lo às próprias filhas foi mera questão de tempo. Campos vinha vislumbrando em meu pai, além de um bom gerente, um genro em potencial. Foi aí que o destino mexeu seus pauzinhos: justamente a única filha bonita do patrão já estava comprometida. Por uma questão de prudência, meu pai achou melhor permanecer na filial de Alto Rio Doce.

Pouco tempo depois, como já contei, deixaria a loja para ir trabalhar como contínuo no Banco Comércio e Indústria de Minas Gerais. Embora ganhando menos, enxergava um futuro bem melhor no novo emprego. Ao que parece, minha mãe já estava em seus planos...

Anos mais tarde, quando peguei o avião que me levaria para a Alemanha como executivo da Bayer para participar de um programa de *job rotation*, não pude deixar de pensar em meu bisavô, José Joaquim, que mais de um centenário antes fizera o trajeto inversoo... "Navegar é preciso, viver não é preciso", diziam os fenícios, citados pelo poeta português Fernando Pessoa. Aquilo definitivamente estava no meu sangue.

Da parte de minha mãe, as coisas também não foram muito diferentes. Seu avô materno, também português, foi morar em Niterói, onde minha avó nasceu e mais tarde se casou com um descendente de italiano, meu avô Alfredo Dalmiro Baronto. Meu tataravô, Dalmiro Joseph Baronto, era um artista, restaurador e escultor de imagens sacras. Morava e trabalhava na região de Aparecida do Norte. Seu pai, Luigi Baronto, nasceu na Itália, região da Toscana, mas viveu na Inglaterra, onde passou a ser chamado de Louis Baronto. Sua primeira esposa foi a inglesa Elizabeth Bryan. Também ele era escultor de imagens em alabastro e outros materiais. Veio para o Brasil, fixando-se em Petrópolis, como artesão, acompanhando a corte real portuguesa. No meio dessa salada de nacionalidades em minha família, não tinha escapatória: eu só poderia me sentir um "brasileiro legítimo".

Somos quatro irmãos. O mais velho, Antônio Alfredo, nome em homenagem aos dois avós, nasceu em 1950, ainda com parteira, embora com acompanhamento médico. As coisas eram bem difíceis naquele tempo – sem essas facilidades e esses confortos de maternidades e planos de saúde. Teve uma infância dura, cheia de grandes desafios. É advogado formado pela Universidade Federal de Juiz de Fora, e mantém um escritório de advocacia em São Paulo. Um vitorioso que enfrentou graves desafios de saúde, como vamos conhecendo ao longo deste relato.

Sou o segundo e vim ao mundo, como já disse, em 1951. Nasci em Alto Rio Doce, cidadezinha mineira de 12 mil habitantes, localizada na Zona da Mata, região da Estrada Real, e próxima a Tiradentes, São João Del Rey e Barbacena.

Minha mãe conta que minutos antes do parto, o médico e amigo, doutor Nonô, dirigiu-se a meu pai com bem-humorada autoridade: "Estamos aqui em vias de trazer à luz o seu segundo filho... E você ainda insiste em não querer botar o seu nome nele, homem. Perdendo a segunda chance?".

Na verdade, quebrando a tradição de repetir o nome do pai em um dos filhos, comum em quase todas as famílias na época, meu pai queria me chamar de Geraldo, uma homenagem a seu ex-chefe no banco, Geraldo Arantes, que havia sido pessoa importantíssima em sua vida e responsável pelo início de sua carreira de bancário.

O médico insistia e meu pai teimava: "Primeiro, porque eu já prometi dar o nome dele se for um menino... E, segundo, porque eu tive uma vida dura sofrida demais, e não quero passar esse carma para o meu filho de jeito nenhum".

Enquanto isso, por seu lado, minha mãe, em plenas dores do parto, também defendia a ideia, concordando com o doutor Nonô: "Ô, Theunis... Deixe de história, criatura... Se for menino, põe logo o seu nome nele, uai! Vai ser um orgulho pra ele e pra mim!".

Então meu pai cedeu: "Pronto! Está resolvido: se for homem (naquele tempo não se sabia por antecipação o sexo do bebê) vai se chamar Theunis Geraldo!".

Depois foi a vez de minha irmã Teresinha Maria, a terceira da fila, em 1952. É médica, formada em clínica geral pela Faculdade de Medicina de Jundiaí e membro do corpo clínico do Hospital Alemão Oswaldo Cruz em São Paulo. Por último, veio o caçula José Eduardo, que nasceu em 1956 e é dentista formado pela Faculdade Federal de Odontologia de Alfenas, com mestrado na USP. Além de atuar na clínica e no consultório, é professor na área de implantes dentários.

Gillette afiada igual navalha

Se for verdade que o mundo é uma escola – oportunidade contínua de aprendizado e crescimento – posso dizer que as minhas primeiras lições começaram bem cedo. Meu pai foi um exemplo de superação de obstáculos.

Nem preciso me estender muito. Basta citar dois casos exemplares. Quando morávamos em Belo Horizonte, no dia em que recebia o "envelope de pagamento" com o salário em dinheiro vivo, logo após o jantar, meu pai procedia a um autêntico ritual, que, para mim, parecia uma espécie de brincadeira de "banco imobiliário". Ele ia separando o dinheiro, nota por nota, em pequenos montes de tamanhos diferentes.

"Por que todo mês você faz isso, pai?", eu perguntava todas as vezes em que o ritual se repetia.

E ele, didático, ia apontando: "Este aqui é do aluguel, este para os alimentos, este outro, da água, aquele ali é o da luz..."-

Assim como quem não quer nada, ia incutindo em nós noções de valores; das diferenças de peso de cada item no orçamento doméstico. O maior dos pacotes, logo aprendi, era para as despesas com médicos e medicamentos para meus irmãos. Naqueles tempos difíceis, nunca sobrava dinheiro. Meu pai ia a pé para o trabalho para economizar na condução, priorizando sempre os itens mais importantes.

Acho que essa foi a minha primeira e, quem sabe, a mais eficaz lição de planejamento financeiro.

Entretanto, não pense que por causa dessa e de outras adversidades meu pai fosse um homem triste e amofinado. Pelo contrário, fazia questão de andar sempre elegante e bem-disposto. Pedia a minha mãe que virasse pelo avesso os punhos puídos da camisa social para que durasse o dobro do tempo. Para manter o rosto sempre impecavelmente barbeado, desenvolveu uma técnica muito pessoal que consistia em amolar as caras lâminas de barbear Gillette no interior de um copo de vidro com gotas de água e um pozinho fino de sapólio, passando-a lentamente pelas curvas do copo. Voltas e mais voltas por incontáveis vezes. Graças a essa engenhosa ação, sua lâmina durava até trinta dias.

De minha mãe, recebi inúmeras, incontáveis lições de amor, dedicação e carinho. Mestra da alegria – cantava a plenos pulmões enquanto ia executando as tarefas domésticas diárias com o rádio ligado –, dela me lembro, sobretudo, como alguém que costumava agir sempre com muita prudência, mas de maneira determinada.

Certa vez, em 1956, quando a gente morava no bairro de Santo Antônio, em Belo Horizonte, um sujeito bateu à nossa porta com uma proposta um tanto inusitada: "Bom dia!" – E já no "bom-dia", havia certo tom de "conversa fiada", bem disfarçada de "papo sério". E o sujeito continuou com seu discurso de "engana-trouxa": "A senhora está sabendo que o Juscelino vai construir uma nova capital, Brasília, certo? E a boa notícia é que a senhora ganhou um terreno, lá na 'capital da esperança'".

A malandragem não é uma invenção recente. Menos ainda no Brasil. O tal do distribuidor de terrenos sacou en-

MEU NOME SERÁ SUA HERANÇA

tão os papéis que minha mãe deveria preencher e assinar e, pela módica quantia de Cr$ 300,00 (300 cruzeiros, na época uma boa grana), tornar-se a "feliz" proprietária de um terreno em Brasília!

"Obrigada, mas eu não quero terreno nenhum..."

O homem fingia "sinceramente" não acreditar em tamanha "insensatez". E insistia, com a tenacidade dos malandros: "Mas a senhora vai dar as costas para a sorte que bateu à sua porta? Vai recusar um terreno que só vai valorizar na nova Capital? É de graça, pense nisso!".

Com tranquilidade e firmeza ela acabou dispensando o estelionatário.

Resumo da ópera: minha mãe, ao contrário de alguns na vizinhança, não caiu no conto do vigário. Não só por não dispor dos 300 cruzeiros, por causa do orçamento doméstico sempre tão apertado, mas principalmente porque a cautela e a prudência, pela sua cartilha nunca deixaram de ser as moedas mais sólidas das tantas que circulam por aí.

Depois do caso passado, comentando com os vizinhos, descobriu que nem todos tinham tido a mesma sabedoria. Um deles, seu Lili, amigo e o dono do armazém, por exemplo, chegou a sacudir no ar, cheio de orgulho, o recibo do pagamento: "Claro que eu peguei o terreno, uai, não sou bobo nem nada! E eu ia perder uma oportunidade dessas?".

Em nome de um "negócio da China", muitos dos nossos conhecidos jogaram no lixo 300 cruzeiros. Preciso dizer que o sujeito nunca mais apareceu por aquelas bandas?

Na prática aprendi com minha mãe mais uma lição: bons negócios não caem do céu. Na vida tudo exige algum esforço, pensamento estratégico, bom senso e... prudência.

Tempos depois tive outra oportunidade de presenciar suas reações equilibradas e sábias. No meio da tarde um homem veio bater à nossa porta para entregar um guarda--roupa que, segundo ele, havia sido encomendado, tempos antes, "pelo seu esposo".

Minha mãe, infalível: "Desculpe, mas nós não encomendamos guarda-roupa nenhum".

O "entregador" não parecia querer mudar de ideia e insistiu: "Seu marido já deixou pago e tudo. É só receber...".

Desconfiada e firme, minha mãe resistiu bravamente àquela oferta que muita gente acharia irresistível: um móvel novo, já pago, que bela surpresa!

De nada adiantaram as lamúrias do encarregado da entrega: "Puxa, a senhora vai complicar nossa vida... Nós temos de entregar...".

Ela, já perdendo a paciência, manteve a firmeza: "Aqui não entra guarda-roupa nenhum!"

Na época não havia telefone nas casas nem orelhão por perto, mas logo percebemos que uma das máximas da sabedoria popular – "precaução, água-benta e caldo de galinha nunca fizeram mal a ninguém" – estava prestes a ser aplicada naquela situação. O bom senso e a prudência de minha mãe valeram mais do que qualquer aparelho telefônico.

O homem desistiu e foi embora, fazendo-se de chateado.

Quando meu pai chegou do trabalho à noite, minha mãe perguntou se ele havia feito alguma encomenda sobre cuja entrega se esquecera de avisar. A resposta foi a que ela e o leitor imaginaram que seria.

Dias depois a notícia explodiu como uma bomba na vizinhança. Alguma dona de casa desavisada nas redondezas aceitara a entrega sem questionar. No interior daquele "Baú da Felicidade", vinha escondido um ladrão que no resto da tarde roubava tudo o que conseguia da casa. Horas mais tarde a "loja" mandava pegar o guarda-roupa de volta, com a desculpa de que haviam entregado a encomenda no endereço errado. E a coitada da dona da casa ficava lamentando o prejuízo de objetos e valores que acabaram indo embora dentro do guarda-roupa-armadilha.

Bons tempos quando os roubos e assaltos no Brasil eram feitos com essa esperteza ingênua.

Conhecendo ou não alguma coisa de História da Antiguidade Clássica, o fato é que a quadrilha estava aplicando ali a velha artimanha do Cavalo de Troia – o conhecido estratagema com que os gregos tomaram de assalto a inexpugnável cidade inimiga. Minha mãe, porém, mineirinha do interior, vivendo em Belo Horizonte, que na época já era "cidade grande", já "ficava esperta" diante do desconhecido e não se deixava levar pela "felicidade" que batia à sua porta.

Tudo na vida, se você prestar atenção, é lição para quem se dispõe a aprender.

CAPÍTULO 6

A PRIMEIRA "CARTEIRA DE TRABALHO DO MENOR"

SONHAR ALTO, PENSAR GRANDE

FAZ TEMPO QUE A IDEIA de curtir as férias se tornou tão cor‐
riqueira nas famílias, que adultos e crianças passam o ano letivo ou de trabalho planejando onde vão aproveitar o período de descanso. Na minha infância as coisas não eram tão fáceis: além de não termos pessoalmente recursos, as opções de lazer eram bem mais limitadas – mas não para uma criança acostumada a viver no quintal. No máximo, ia-se visitar algum parente que morava distante, e passava‐se uns dias em sua casa.

Talvez por isso meu pai não tenha se espantado quan‐do, nas férias escolares de 1965/1966, aos 14 anos, eu lhe pedi que me ajudasse a conseguir um emprego: meu primei‐ro! Eu queria trabalhar. Já passava umas tardes no ban‐co, com ele, depois das aulas. Assim, quando chegaram as férias, lancei a ideia: "Não quero ficar todos esses meses à toa – as férias eram bem longas naquele tempo. Arranja um trabalho para mim com algum de seus colegas do banco, assim não tenho que ficar em casa sem fazer nada e ainda ganharei alguns 'cobres'".

Para ser bem sincero, o assunto não era completamente inédito em casa. No início daquele mesmo ano, quando eu tinha 14 anos, apareceu no bairro um sujeito que distribuía produtos para vender de casa em casa – sabão de coco, anti‐mofo para guarda-roupas, pedras desinfetantes para sani‐tários, anticheiro para geladeiras, velas etc.). Quando soube que ele estava ampliando seu quadro de vendedores, logo me candidatei, às escondidas da família. Era uma estrutura simples, mas com certa organização: ele fornecia uma carteirinha de identificação, com foto e tudo, e uma inscrição do Instituto de Cegos da Vila Carrão. Os vendedores deveriam apresentá-la às compradoras e fazer um discurso bem triste, pedindo ajuda para os ceguinhos... Eu tinha a suspeita de que essa carteirinha era um trambique, mas que funcionava, funcionava.

Sem contar a meus pais, comecei a vender e o negócio foi dando certo. Com o tempo, montei minha própria equipe, com os amigos do futebol de rua. Até que um dia, com seu faro fino, meu pai sentiu o cheiro. Não sei até hoje se do sabão de coco ou se da mutreta. Mesmo vendo o maço de dinheiro em minha mão, obrigou-me a acabar com aquilo... E eu que já tinha até conseguido comprar um jogo completo de uniformes para todo o time em que jogava! De certa forma, talvez meio torta, aquilo selou o meu batismo no mundo dos negócios...

Pensando hoje, a distância, deve ter sido por causa desse evento que meu pai viu com bons olhos quando, pouco depois, já com 14 anos completos, pedi que me ajudasse a arranjar um trabalho durante as férias escolares.

De dezembro de 1965 a março de 1966 vivi minha primeira experiência profissional, como office-boy no DP – Departamento de Pessoal – da Bianco & Savino Indústria de Autopeças S/A. no bairro do Pari.

Foi meu primeiro registro numa carteira profissional – minha primeira Carteira de Trabalho de Menor!

Aquilo significou para mim uma grande oportunidade de aprendizado e amadurecimento. Eram tempos conturbados, marcados pelo início do regime militar, mas ainda com intensa atividade sindical da época, vinda do governo do presidente João Goulart – nem as médias empresas, como aquela onde eu passava por minha primeira experiência profissional, escapavam de confrontos políticos.

Um belo dia, os empregados, com mais alguns militantes, invadiram o departamento em que eu trabalhava e não ficaram apenas nas palavras de ordem. Partiram logo para o quebra-quebra. Foi um deus nos acuda. Quando vi as pedras que eram atiradas em série contra as vidraças, não pensei duas vezes: escondi-me debaixo de uma grande mesa de madeira que havia num canto da sala e lá me pareceu estar em segurança. Ledo engano!

"Corre daqui, moleque, se não te cubro de porrada!"

Um dos invasores tinha me descoberto, e justamente um dos mais inflamados. Eu nem esperei ele gritar de novo e já estava cumprindo a ordem ao pé da letra. Ou seja, literalmente, dando no pé.

Em poucos minutos cheguei em casa. Fugi em tal disparada que até hoje não me lembro direito como atravessei todas aquelas ruas.

Só depois desse episódio consegui entender um "detalhe" que havia aguçado minha curiosidade, logo no primeiro dia de trabalho, ao ser apresentado ao gerente de RH, Antônio Carlos. Naquele dia, ao abrir a maior das gavetas, que as mesas antigas costumavam ter, sob o tampo principal, reparei, havia um revólver. Estava fora do coldre, aparentemente já engatilhado e pronto para uso!

A PRIMEIRA "CARTEIRA DE TRABALHO DO MENOR"

Nunca antes havia visto uma arma tão de perto, a não ser as de brinquedo. Ele, percebendo meu espanto, procurou justificar-se: "Você sabe como é, né?". Como se eu soubesse! E continuou se explicando para o menino boquiaberto, ali, à sua frente: "A gente nunca sabe o que pode acontecer, por isso a mantenho assim, de prontidão... Mas é só para assustar, e se necessário".

A bem da verdade nunca vi aquele homem pacífico disparar um único tiro, nem nos dias mais tumultuados do confronto – aquele que vivenciei.

Contudo, graças a esse "detalhe", aprendi minha primeira lição da vida adulta: o mundo do trabalho não era mais uma brincadeira de criança. Eu estava ingressando em outra fase; numa nova etapa da minha vida.

Quando levava um envelope para a secretária do presidente, que coisa importante deveria ter ali dentro? Sentia-me o próprio mensageiro do rei.

Na verdade, tive também outra grande lição no breve período por que passei naquela fábrica de autopeças.

Um dia, um funcionário do Departamento, numa brincadeira de moleque, passou a mão no meu traseiro. E eu, mais rápido ainda, revidei com um belo chute no seu órgão frontal mais sensível. O episódio não teria passado disso – só um pretexto para umas boas risadas –, se o gerente de Produção, um armênio de cara sisuda, não estivesse entrando na sala bem naquele exato momento. Como era de

SONHAR ALTO, PENSAR GRANDE

esperar, passou-nos um sermão daqueles: "Seus moleques! Que bagunça é essa em pleno horário de trabalho? Mais uma dessas e os dois estão no olho da rua!".

Aquilo me marcou profundamente para o resto da vida, redefinindo de uma vez por todas a minha visão sobre ambiente de trabalho. Compreendi que seriedade e compostura fazem parte indissociável da liturgia desse ambiente. E não pode haver lugar para molecagens irresponsáveis como aquela que eu e meu colega protagonizamos naquele dia.

No fim de três meses deixei a empresa. Afinal, as férias escolares tinham acabado, mas não a minha vontade de continuar trabalhando. Portas de um mundo novo, que desde cedo me atraía, haviam sido abertas. E era a esse mundo que eu queria pertencer.

Contudo, para essa história ter um final inusitado, típico de uma novela, eis que quase trinta anos depois, quando eu era presidente da Bayer Polímeros S.A., quis o destino que a minha primeira empregadora, Bianco & Savino Indústria de Autopeças S/A, fosse nossa cliente e, por falta de pagamento nas suas compras, tive de autorizar a execução das duplicatas. A empresa acabou quebrando. Muito triste, mas real.

Se dependesse da vontade de meu pai, primeiro eu teria de concluir o ginásio. Entretanto, o destino (ou outro nome que se queira dar) continuava aprontando seus acasos para mim, e um incidente escolar, mais uma vez, acabou precipitando as coisas.

A PRIMEIRA "CARTEIRA DE TRABALHO DO MENOR"

Foi assim: eu cursava a quarta série ginasial no Colégio Tabajara, hoje Colégio Internacional Ítalo-Brasileiro, no bairro de Moema, onde me sentia em casa, embora não fosse nenhum *nerd* – aliás, era até bem popular entre os colegas. Pois bem, dentro desse espírito bem-humorado e brincalhão, certa tarde fiz uma pilhéria com dona Lavínia, a professora de Francês. Não me recordo mais dos detalhes, mas tinha algo a ver com o nome de uma máquina de lavar roupa da marca Lavínia. Provoquei uma gargalhada geral na turma, mas também a ira da professora.

"Você vai se arrepender por isso!", ameaçou dona Lavínia, espumando de raiva.

E não ficou só na ameaça. No fim do ano a "vingança" da mestra se materializou na forma de uma amarga reprovação. Ela me deu uma nota 4,5, quando, pelo sistema de notas da época, o mínimo teria de ser 5,0. Pela primeira vez na vida eu levava bomba em uma matéria! Na época aquilo significava ter de repetir, também, todas as outras matérias. E além da perda de tempo – um ano inteiro perdido na vida! –, ainda havia o fato de que estava para me formar.

De nada adiantou minha mãe conversar longamente com dona Vera, a diretora do colégio – que era uma pessoa amável e sensata, considerou meu bom rendimento nas demais matérias e até admitiu o exagero na reação da professora. Prontificou-se gentilmente a fazer o "meio de campo" com dona Lavínia, mas não queria tomar nenhuma decisão que desautorizasse a colega. Dias depois, a resposta decepcionante da diretora dava conta de que a professora, ofendida em seus brios, não tinha a menor intenção de rever sua atitude – o que, em termos numéricos, resumia-se a um mísero meio ponto na média final, mas em termos realísticos representava repetir de ano, mesmo tendo ido bem em todas as outras matérias.

Minha mãe, santa criatura sempre disposta a defender suas crias, fez tudo o que estava a seu alcance para me ajudar: conseguiu o endereço da professora e foi conversar pessoalmente com dona Lavínia. Cheguei a acompanhá-la nessa epopeia, mas achei mais prudente aguardar na portaria do prédio. Depois de a conversa durar o que pareceu uma eternidade, finalmente minha mãe desceu, com um brilho de esperança no olhar: "Ufa!", suspirou, "dona Lavínia prometeu que vai pensar no caso..."

No entanto, a decepção não tardou. Aquela resposta esperançosa deve ter sido só para se livrar da visita inoportuna. A diretora nos comunicou que dona Lavínia ficara ainda mais aborrecida, sentindo-se invadida em sua privacidade, e, veementemente, ratificara sua decisão de me reprovar.

Fiquei num estado de tristeza profunda, além de ferido em minha autoestima. A turma da sala chegou até a ameaçar um levante, mas acabou ficando o dito pelo não dito e o assunto morreu por aí. O fato é que quando uma pequena autoridade se vê desafiada em suas decisões, como parecia ser o caso, torna-se ainda mais inflexível e tirânica – e o pessoal sentiu que ia acabar sobrando para todo mundo.

A mim, só restava amargar aquela terrível derrota. Ao menos era o que minha mãe achava, em sua simplicidade e sensatez. Eu, porém, não. Aos 17 anos, fui firme em minha posição: "Não vou mais ficar nesta escola, mãe. Se tiver de repetir a quarta série, que seja em outro lugar!".

Meus pais relutaram um pouco – afinal, era uma boa escola – mas acabaram cedendo.

E, mais uma vez, intuitivamente ou não, as coisas se viraram a meu favor. De novo, o que parecera insensatez, transformou-se em oportunidade de vida.

Depois de insistir muito em casa, fui transferido para a Escola de Comércio Álvares Penteado, uma instituição tradicional em São Paulo, localizada no histórico Largo São Francisco.

Matriculei-me no ginásio comercial e, depois de concluído esse curso, permaneci lá e fiz os três anos do curso Técnico de Contabilidade.

Eu estava atendendo a um conselho do meu pai, que sempre dizia: "Antes da faculdade, faça um curso técnico. Assim, se eu morrer, você já terá uma profissão e com o quê pagar suas contas e ajudar sua mãe".

Temia que no caso de sua eventual morte precoce, seus filhos acabassem por passar as mesmas dificuldades que teve de enfrentar ao perder o pai tão jovem.

Antes mesmo de terminar o curso eu já estava ingressando no mercado de trabalho. Queria chegar logo aos 18 anos, tirar a carteira de habilitação e poder dirigir meu sonhado fuscão.

Fui trabalhar como assistente do Departamento de Pessoal do Banco Halles. Aos 19 anos era promovido a encarregado da folha de pagamento. E nunca mais pararia de trabalhar.

Assim, eu confirmava mais uma lição que a vida ia me passando: é preciso saber metabolizar as perdas e transformar obstáculos em novas oportunidades.

CAPÍTULO 7

SONHANDO ALTO, PENSANDO GRANDE

SONHAR ALTO, PENSAR GRANDE

OMO JÁ DISSE, NEM SEMPRE o vento está a favor. Aliás, são poucos os que nascem com o "vento a favor". Para a maioria de nós, trata-se de determinação e capacidade de superação. Mais até: sem essas qualidades, o vento, que às vezes é passageiro, pode até ir soprar em outras bandas. Devo lembrar que essa foi uma lição que, na verdade, aprendi muito cedo, ainda na adolescência, em minha vida social.

Por volta dos 15 anos, meu melhor amigo, o Rodolfo, que todo mundo chamava de Rudinho, tinha a seu favor o maior capital com que um adolescente pode sonhar: ele era um garoto com beleza bem acima da média.

As meninas – sempre as mais bonitas, claro – viviam em volta dele. Onde quer que o Rudinho chegasse, com seus belos olhos verdes, logo surgia o "enxame" de belas garotas, circulando ao seu redor. Isso não me incomodava, pois, de fato, éramos mesmo grandes amigos. Pelo contrário, sabia que eu não era nenhum Adônis, mas tinha o privilégio de ser seu companheiro constante nos bailes e nas festinhas da época, que chamávamos de "Domingal". Parece fácil imaginar o que acontecia, não é mesmo?

Adivinhou quem respondeu que as meninas "choviam" na nossa horta, por causa do Rudinho, mas vai acertar só a metade da questão quem imaginou que quem se dava bem era o Rudinho.

Acredite se quiser, embora ele fosse realmente um galã, na maioria dos casos, quem saía acompanhado da festa era eu.

SONHANDO ALTO, PENSANDO GRANDE

Hoje, posso arriscar uma explicação, justamente com base nas perspectivas que estamos vendo aqui. Além de não saber escolher – uma vez que a oferta era tanta! – Rudinho simplesmente não se empenhava em conquistar as meninas: não se preocupava em alimentar uma gentileza, uma boa conversa, e sequer gostava de dançar. No fim das contas deixava a impressão de que "não estava nem aí". Eu, ao contrário, tinha de me superar, pois no quesito beleza, não dava para competir: caprichava na conversa, tinha bom humor, empenhava-me em dançar bem e andava sempre bem arrumado e cheiroso.

Foi uma lição prática de vida. Saber sempre se superar, realçando seus pontos fortes e se esforçando para melhorar nos fracos. Force até o limite. Você precisa ser sempre melhor do que você mesmo. Em outras palavras, lute para ir além do que você pensa ser capaz.

Sempre gostei daquela frase de Winston Churchill: "O pessimista vê dificuldade em cada oportunidade; o otimista vê oportunidade em cada dificuldade".

Ingressei na vida adulta com os dois pés bem plantados no mundo do trabalho, sem tirá-los do mundo dos estudos.

O fato de já estar trabalhando no Banco Halles, antes mesmo de concluir o curso de Contabilidade, não me fez relaxar no aprendizado teórico. O mundo pode ser uma grande escola, mas é no estudo regular que se aprende, justamente, a aprender. Devo acrescentar como verdade que jamais desperdicei uma única oportunidade de aprender algo que me parecesse relevante.

Trabalhar de dia e estudar à noite, isso era até fácil e a gente logo se acostuma. Difícil é vencer os obstáculos que a vida vai colocando no seu caminho.

Logo que comecei a trabalhar no RH do Halles, eu me vi diante de um conjunto de tarefas bastante complicadas, em especial porque não dispúnhamos dos recursos tecnológicos de hoje. Administrar manualmente a rotina de uma folha de pagamento com todos os itens a ela inerentes logo se mostrou atividade bastante complexa para um jovem de 19 anos, sem experiência. Contudo, se eu estava disposto a me superar, tinha como principal desafio ajudar a empresa, diante de cada nova dificuldade.

E foi o que fiz.

A demanda na época era por um sistema seguro de folha de pagamento. Lembre-se de que não existiam computadores e tudo era feito rigorosamente a mão. Privilegiado era quem tinha uma calculadora Sharp elétrica, ou seja, sem manivela.

Criei um modelo de folha de pagamento com começo, meio e fim, que gerava todo o sistema – desde os rendimentos até as guias de recolhimento dos encargos sociais e impostos e com uma "amarração" que eliminava erros. Ao que parece, o pessoal ficou entusiasmado e a empresa acabou por adotar aquele sistema feito "dentro de casa".

Caí nas graças do chefe, Eduardo Jacintho, meu primeiro mentor profissional, homem culto e íntegro, que era o gerente administrativo. Ele começou a me delegar outras funções e atividades, e assim comecei a me destacar. Quando ele foi promovido a diretor administrativo e financeiro de outra empresa do grupo, a HallesData, subsidiária que fazia todo o processamento do Banco, levou-me com ele para ser o seu encarregado do Departamento de Custos e Orçamentos. Eu tinha 19 anos. Nesse posto, mesmo sem nunca ter feito orçamentos antes, Eduardo Jacintho me ensinou o ofício. Rachava de estudar a matéria, lendo livros e fazendo cursos no Instituto de Organização Racional do Trabalho (Idort), na Praça Dom José Gaspar, em São Paulo.

Meu principal aprendizado ali acabou sendo este: quando se quer, e se está motivado, tudo se aprende. Querer é poder!

No livro de fábulas da minha vida, a impressão que eu tinha era a de estar entrando num momento de ascensão, rumo à estabilidade profissional.

A verdade é que eu sonhava alto. Mesmo sem saber ainda enxergar com clareza, uma coisa parecia certa: tinha de continuar escalando o Everest Corporativo, em direção ao topo.

Nunca pense no máximo que você pode naquele momento, mas no máximo que você quer alcançar num futuro predefinido. Certamente será o caminho mais difícil, mais dolorido, mas será o que vai lhe permitir sentir o delicioso sabor da vitória. A exaustão dos vitoriosos transforma-se em satisfação, em verdadeiro deleite. Descobrir seus limites, independentemente de onde tenha chegado, desde que esteja certo de ter dado o seu máximo, acalma e equilibra.

Algum tempo depois entrou na HallesData um novo diretor no lugar do Eduardo Jacintho. Apesar de ser "bonzinho", não estava ali para ralar. Tinha como principal qualidade ser o cunhado do diretor-geral. Eu entrava na sala dele e queria conversar comigo sobre futebol, carros, relógios da moda etc. Meu Deus, que ansiedade! Eu queria falar de trabalho com ele, e nada.

Aquilo, primeiro, deixou-me frustrado. Depois, em estado de alerta. Não combinava com as coisas que eu vinha aprendendo a respeito do que era trabalhar.

Em pouco tempo minha intuição e meu sentido crítico foram me mostrando os sinais de que o grupo não vinha sendo bem administrado. Era muito dinheiro gasto com mordomias excessivas para os diretores e suas esposas, gastança sem fim e ostentação, tudo por conta da pessoa jurídica.

Apesar da pouca experiência, meus olhos, meu nariz e minha intuição me recomendavam que eu desembarcasse no primeiro porto ou afundaria com aquele barco.

Na época o presidente do Grupo Halles era um homem visionário e arrojado, inteligente e empreendedor. Contudo, algum tempo depois, começou a se afastar do Banco e a delegar suas responsabilidades a ponto de abandonar o comando. Foi fazer meditação no Nepal. Nada contra, mas o fato é que a empresa foi tomada por decisões estratégicas erradas e diretores mais preocupados com a vaidade pessoal e os encantos do poder – começando pelas salas suntuosas e os carrões de alto luxo. Um deles, incorporando essa ostentação, até comprou um chapéu-coco e uma bengala, só para segurá-la na vertical, quando estava sentado no banco de trás do LTD-Landau preto, com motorista "todo abotoado". Parecia um lorde de uma comédia inglesa.

Para um modesto funcionário como eu, aos 22 anos, eram apenas sinais externos, mas me desencantei e desembarquei. Inconscientemente, intuía que aquele barco iria a pique.

Não quero passar aqui a impressão de nenhum tipo de precocidade ou premonição – menos ainda que tenha percebido a iminente quebradeira do Grupo Halles antes mesmo dos especialistas da área. O fato, porém, é que quando o Halles entrou em liquidação, em meados da década de 1970, eu já estava na Bayer.

Se o vento não estiver a seu favor, o navegante tem de estar mais atento ainda a cada variação da maré, ao movimento das aves e até à própria linha do horizonte.

Assim como a saúde do corpo humano, as empresas também começam a dar pequenos sinais quando as coisas não vão bem – e, às vezes, os sinais nem são tão pequenos. Podem estar na observação de maus hábitos em seus principais dirigentes; na obsolescência de sua tecnologia; na falta de renovação de seu quadro diretivo; nas comunicações incompletas ou mentirosas; nos equívocos em sua política de RH. Enfim, o mais simples funcionário de uma empresa, se for cauteloso e esperto, já poderá sentir o "cheiro no ar". Se você, em qualquer momento de sua carreira, pressentir esses sinais, não espere o inferno chegar até você. Não se deixe ser engolido por ele.

Em termos concretos, depois de comentar a situação com meu pai, comecei a procurar emprego pelos jornais e a enviar currículo para outras empresas.

Fiquei dividido entre duas possibilidades: uma empresa sueca, chamada Baterias Saturnia (baterias para automóveis), e a Bayer. Em ambas eu era candidato ao setor de Custos e Orçamentos. Hoje, o nome bonito para isso é *Controlling*.

Acabei optando pela Bayer, onde ingressei em 1973, aos 22 anos – sem saber, então, que aquilo representaria uma revolução muito positiva em minha vida.

Costumo afirmar em minhas palestras que, ao procurar uma oportunidade profissional, o candidato deve investigar a empresa – aquilo que um médico chamaria "fazer a anamnese". Afinal, é seu futuro que está em jogo.

Hoje, com a internet, é até mais fácil, visto que os sites costumam mostrar, bem ou mal, um retrato de corpo inteiro das empresas. O jovem tem muito mais oportunidades de se informar, por meio das redes sociais e de pesquisa, pelo Facebook, pelo LinkedIn, pelo Google etc., bem como em revistas renomadas que divulgam resultados de suas pesquisas sobre as melhores empresas e as boas práticas de RH, fornecendo dados necessários instantâneos a quem se disponha a pesquisar. Na minha época não era assim. Era decisivo ter informações privilegiadas – e eu nem as tinha.

Estamos tratando aqui da construção que visa chegar ao topo do Everest Corporativo. Não devemos perder de vista essa metáfora, porque quem coloca o foco no crescimento, isto é, quem pretende ser alguém cada vez melhor no futuro, não pode descuidar do próximo passo para cima.

CAPÍTULO 8

ESTUDANDO E TRABALHANDO: APRENDENDO A APRENDER

SONHAR ALTO, PENSAR GRANDE

COM OS PÉS FINCADOS TANTO na vida profissional quanto na acadêmica, o negócio agora era não me descuidar de nenhuma das duas. Afinal, eu estava estudando e trabalhando, o que equivale a dizer que estava aprendendo a aprender.

Entrei na faculdade normalmente, quer dizer, no primeiro vestibular que prestei, sem maiores obstáculos, mas também sem nenhum brilho especial. Optei pelo curso de Administração de Empresas, porque me manteria fiel ao projeto de meu pai: ter um conhecimento prático para aplicar na vida profissional. Fui aprovado no vestibular em duas faculdades: na hoje Universidade Presbiteriana Mackenzie, no centro de São Paulo, e na Faculdade Dom Pedro II, que foi a que escolhi por ser perto da minha casa. Eu morava no bairro Campo Belo e a faculdade ficava no Itaim Bibi, no mesmo prédio do Liceu Eduardo Prado.

Essa logística facilitava muito a minha vida, pois trabalhava durante o dia e o curso era noturno.

Minha turma era pequena e todos nós estudávamos e ralávamos muito, trabalhando durante o dia. Se alguém pedir para descrever minha vida naquele período, temo causar algum desapontamento: não havia lugar para o glamour e a badalação que costumam cercar a vida acadêmica, sobretudo entre os jovens. Simplesmente não tínhamos tempo para nenhum tipo daquela "vida bacana" de faculdade. A gente se encontrava apenas para estudar, depois de um dia cansativo de trabalho – na época as jornadas semanais eram de 48 horas. Se havia alguma diferença ou vantagem é que eu, por já ter carro, emprego e salário razoável, levava uma vida melhor do que muitos colegas – que penavam para acompanhar o ritmo.

Tive o privilégio de um mestre inspirador, o jovem professor de Administração de Empresas, Luiz Carlos de Queiróz Cabrera, que viria a se tornar um empresário e ícone acadêmico, reconhecido e respeitado até os dias de hoje.

Sofri também muitas intempéries, mas o importante é que nunca desanimei. Em 1975, aos 24 anos, já casado e com uma filha de 4 meses, a Juliane, fomos para a Alemanha pela primeira vez para um estágio de cinco meses na Bayer AG. Nesse meio-tempo, minha faculdade foi comprada pela Universidade São Judas Tadeu e se mudou para o bairro da Mooca. Resultado: minha rotina confortável "foi para o espaço". Passei a ter de viajar horas para estudar e a chegar em casa por volta de meia-noite.

No fim das contas consegui me formar sem problemas. Fui honrado com a escolha dos colegas para ser o orador da turma.

Quando terminei a faculdade, fui convidado a assumir a cadeira de RH, como assistente do professor Idalberto Chiavenato. Exerci a função durante um semestre, até que tive de optar entre vida acadêmica e carreira profissional. Àquela altura minhas raízes começavam a se fincar solidamente na Bayer.

Engana-se, porém, quem pensar que os anos essenciais de aprendizado estavam chegando ao fim. Pelo contrário: começava agora o mergulho no estudo de outro idioma, que dominaria meu mundo profissional pelas décadas seguintes.

SONHAR ALTO, PENSAR GRANDE

Bastaram seis meses de Bayer para eu chegar a uma conclusão inevitável: ou eu entrava de cabeça no estudo da língua alemã ou não teria a menor chance de sonhar grande ali dentro.

Resolvi estudar o alemão por conta própria – e sem comentar nada na empresa.

Depois de uns seis meses de curso Goethe Institut, não resisti e acabei falando algumas frases com meu chefe, diretor de RH, que foi quem me admitiu na empresa. Claro que usei apenas umas palavras avulsas e umas frases bem simples do alemão, mas assim mesmo ele ficou perplexo, e com todo seu sotaque, que vou tentar reproduzir aqui por escrito, respondeu: "Focê estarrr com alguma espírrrrrrito! Como falarrr alemón"?".

Tive de confessar que estava estudando por minha própria conta e custo.

O chefe achou aquele meu interesse um bom sinal, sobretudo depois que expliquei meus motivos: "Eu realmente gostaria de permanecer na Bayer, mas aqui só manda quem fala alemão...".

Enquanto ele ouvia meus argumentos em silêncio, concluí: "Pelo que pude constatar, a Bayer do Brasil S.A. não tem um único diretor que seja brasileiro!".

Resultado dessa troca de ideias com o chefe: a Bayer não só passou a pagar meu curso de alemão, como ainda me autorizou a sair trinta minutos mais cedo nos dias de curso para chegar à sala de aula pontualmente, sem sufoco.

A política de RH ainda não estava definida em manual. Foi decidida ali, na hora. Anos depois, quando eu era o di-

ESTUDANDO E TRABALHANDO: APRENDENDO A APRENDER

retor de RH, instituímos um curso de alemão na empresa, no qual qualquer funcionário, independentemente do nível hierárquico, podia se matricular e frequentar.

Ainda enfrentei problemas antes da minha primeira viagem à Alemanha, de agosto a dezembro de 1975 – quando eu ainda cursava Administração na Pedro II. Na verdade, essa viagem não se restringia ao mero treinamento do idioma, mas incluía a assimilação de algumas técnicas administrativas de RH.

Foi com muito esforço e disciplina germânica que consegui aumentar meu vocabulário. Logo que cheguei à Bayer AG tive de dividir a sala com mais dois colegas. Um deles, que não tinha muito a ver com meu estágio, mas que convivia comigo no mesmo espaço.

Num dos primeiros papos, logo nas apresentações de chegada, em que "arrastei meus então conhecimentos de iniciante no idioma", ele entrou numa conversa e empregou a palavra *Grundlagen* – que em alemão significa fundamentos – e eu lhe pedi que me explicasse o sentido da palavra, pois não a conhecia.

A resposta dele não foi nada motivadora: "Se o senhor não sabe nem o que significa *Grundlagen*, posso saber o que veio fazer aqui na Alemanha?".

Embora *Grundlagen* não seja uma palavra tão comum assim na Alemanha e, convenhamos, nem seu equivalente em português aqui no Brasil, engoli em seco e respondi: "O senhor pode ter certeza de que nunca mais vou esquecer essa palavra!"

Voltei para casa com raiva, mas já fazendo umas contas, baseado no pouco que eu conhecia sobre linguística, pensei. Se eu aprender aproximadamente 3.500 novas palavras alemãs, em um ano, acho que terei um vocabulário para me comunicar razoavelmente bem na língua. Adicionalmente, vou continuar fazendo meu curso metódico, que inclui vocabulário e gramática. Plano feito, decidi: vou comprar diariamente o jornal local o *Kölner Stadt-Anzeiger*, de Colônia, escolher e ler um artigo do meu interesse por dia, "de cabo a rabo", selecionando as primeiras dez palavras que eu não conhecer, traduzi-las para o português com o auxílio de um dicionário (o dicionário eletrônico ainda não existia) e decorá-las até "rachar", para tirar nota 10. Se for consequente e fizer isso por um ano, terei adicionado 3.650 palavras ao meu vocabulário. O que eu conseguir reter terá sido um grande lucro. Passei a fazê-lo diariamente, mesmo depois que voltei ao Brasil. Tornei-me leitor assíduo de jornais e revistas alemãs. Como isso me ajudou.

É claro que não foi um método científico para patentear e vender cursos de línguas, mas que deu certo, ah, isso deu. Acabei entrando num círculo virtuoso e, associado ao curso estruturado do idioma, as conversas, as leituras, tudo somado, o entendimento foi avançando de maneira incrível. E rápida!

Foi minha resposta definitiva ao recado nada gentil que o camarada havia me dado, muito embora só tenha passado "longos" trinta dias ao lado dele. Já o outro colega, senhor Heimbach, meu tutor naquele estágio, além de bom sujeito,

ESTUDANDO E TRABALHANDO: APRENDENDO A APRENDER

fazia de tudo para me ajudar. Era a gentileza em pessoa. Felizmente era ele que me interessava.

Uma curiosidade: muitos anos depois, quando eu já havia prolongado minha carreira na Alemanha, o referido "chato útil" foi transferido para o Brasil. Aos incrédulos, dizia: "Não vou aprender português, porque já falo alemão e inglês". Nunca aprendeu o português e, depois de dois anos, foi devolvido para a matriz.

Provavelmente ele não conhecia o provérbio tcheco: "Aprender outra língua é ganhar uma alma a mais".

Resiliência, foco e objetivo, tudo isso só faz bem no longo prazo.

Na segunda vez que fui à Alemanha, em 1979, aos 28 anos, fui sozinho. Enquanto estava lá nasceu minha terceira filha, Sabrine. Passei um mês inteiro em imersão total de alemão no Goethe Institut de Murnau am Stafelsee, que aliás fica aos pés dos Alpes. Eu, que já tinha uma família e uma carreira, tinha agora plena consciência de que continuaria dando sempre o melhor de mim naquela escalada rumo ao topo do Everest Corporativo.

CAPÍTULO 9

RH NO DNA

OSTUMO SER IDENTIFICADO COMO UM homem de RH, o que muito me orgulha. Tenho absoluta gratidão pelo meu destino profissional por ele ter se iniciado em RH, pois após tudo o que vivi profissionalmente nas áreas de negócios, finanças e como CEO, posso afirmar, categoricamente, que depois de você dominar os conhecimentos técnicos e do mercado do seu produto e depois de dominar a parte técnica das finanças de sua empresa, quase tudo vai se resumir às relações humanas no seu ambiente de trabalho. São elas que movimentam os motores da organização, para o bem ou para o mal. Digo sempre que nos fins de semana e nos feriados todas as empresas são mais ou menos iguais. Têm os mesmos móveis, ficam muitas vezes no mesmo prédio ou região da cidade, utilizam os mesmos recursos de TI. O que principalmente as difere é quando, na segunda-feira, começam a chegar seus recursos humanos.

Certa vez, quando tinha ainda pouco mais de 20 anos, li uma frase do presidente da IBM até o início dos anos 1970, Thomas Whatson Jr., que guardei como algo assim: "Vocês podem destruir minhas instalações; podem levar meus projetos; podem tirar meu dinheiro. Deixem comigo apenas meu pessoal e começarei tudo de novo!".

Enfim, na história da minha carreira profissional, se tive sucesso, a principal razão foi ter começado em RH. Aqui está meu DNA.

E tudo aconteceu meio inesperadamente. Na época era comum os funcionários, no ato da admissão, irem cumprimentar o diretor de RH – o primeiro *shake hands*. Eu estava selecionado para trabalhar na área Custos e Orçamentos da Bayer, mas lá fui para a tal cerimônia, o diretor de RH alemão me chamou para cumprimentá-lo e, de repente, achei que não estava entendendo o carregado português dele. Estava sendo convidado a trabalhar com ele. Surpreso e querendo entender a novidade do convite, nosso diálogo deu-se mais ou menos assim: "O senhor me desculpe, mas já estou compromissado com a área de Custos e Orçamentos e nesse caso..."

Não deixou que eu terminasse a frase: "Se você quizerr trabarrar comigo, eu vai resolver a problema com minha colega da árrea Custos e Orrzamentos".

E resolveu mesmo, a ponto de mudar toda a minha trajetória profissional.

Acabei ficando no RH, onde fui assistente de RH, chefe do Setor de Administração de Pessoal, gerente de RH e, finalmente, em 1980, aos 29 anos, substituí o diretor, que voltava para a Alemanha, como diretor de RH da Bayer S.A.

Na época, era uma novidade. Um brasileiro ser diretor da empresa alemã. Aliás, naquele momento, o único.

O diretor de RH achava precipitado colocar "um menino de 29 anos", ainda por cima brasileiro, como seu substituto. Contudo, o presidente, Rolf Loehner, o segundo e mais importante mentor na minha carreira, parecia muito seguro com a escolha. E questionou o diretor de RH, de malas prontas para voltar para a Alemanha: "O.k. Além de 'menino' e 'brasileiro', e de todos os elogios que você sempre fez ao trabalho e ao comprometimento do rapaz, que 'outros defeitos' você vê nele?".

E finalizou como quem fecha a questão: "Vou testá-lo como seu substituto!".

Ao formalizar o convite para assumir a Diretoria de RH da Bayer S.A., Loechner me comunicou da maneira mais direta possível: "A Bayer AG aprovou sua nomeação. Você vai ter, imediatamente, as reponsabilidades, o salário, a sala e todos os benefícios e obrigações da função... Mas o cartão de visitas com o título diretor, só no futuro...".

Era difícil para a Bayer AG naquela época aceitar que um "menino" brasileiro, de apenas 29 anos, andasse por aí exibindo um cartão com o título de Diretor da corporação.

"Se você quiser, tem de ser assim!", finalizou o presidente.

É claro que aceitei. O principal já tinha conseguido, e a pura e simples vaidade por um título não estava nos meus planos.

Então, aos 33 anos, a idade de Cristo, veio a conquista definitiva: meu cartão de visitas onde se lia: Diretor de Departamento!

Na prática, isso não mudou nada, mas era uma rigidez protocolar e cultural da empresa, perfeitamente compreensível. No fim das contas, só um pequeno detalhe diante de tudo o que a Bayer me oferecia e, principalmente, colocava em prática em seu RH.

Em suma, era uma companhia eticamente muito adequada para se trabalhar, o que me estimulava a agir com total correção. E como estava em franco crescimento, sobretudo no RH, havia muito campo para crescermos juntos.

Vivi diversas histórias interessantes nessa época e elas surgirão naturalmente ao longo desta minha narrativa.

Uma curiosidade: minha primeira aparição na mídia, em 1976, aos 25 anos, foi ministrando um curso na Associação Paulista de Administração de Pessoal (Apap), hoje, Associação Brasileira de Recursos Humanos-SP (ABRH-SP), chamado Sistema de Informações de Pessoal, que eu e minha fabulosa equipe implantamos na Bayer. Eram os primeiros passos em direção à informatização das funções de RH nas empresas. Esse curso permaneceu recebendo turmas de interessados pelos dois anos seguintes.

Naquele tempo, o RH das empresas tinha um papel quase exclusivamente administrativo e burocrático. Cuidava de folha de pagamento, recolhimento de encargos sociais, férias, desligamentos, assistência médica e Medicina do Trabalho, relações trabalhistas e sindicais, recrutamento e seleção, administração de benefícios, alimentação do trabalhador, administração dos programas de treinamento. Influenciar os programas estratégicos da empresa era mais uma ousadia pessoal e voluntariosa do RH do que uma função de sua competência. Nas reuniões estratégicas podia ser visto como "bicão" por alguns colegas.

A Bayer S.A. acabara de fazer a fusão de três empresas, e a maior delas fora transferida do Rio de Janeiro para São Paulo. A mudança tinha acarretado um caos para o RH, administrativa e politicamente – o que não impediu nossa equipe de manter a dinâmica de um trabalho que cada vez mais conquistava adeptos no mercado de empresas e destaque na mídia. Na época não existiam revistas especializadas no assunto RH, mas *Exame* e *Gazeta Mercantil*, por exemplo, dois veículos de grande prestígio, já reconheciam e premiavam as modernas políticas de RH da Bayer.

Nas últimas duas décadas, as atividades do RH ganharam grande destaque estratégico nas empresas. Para utilizar uma metáfora esportiva, bem ao gosto brasileiro, compare a posição do profissional de RH, ao longo da história, com o universo do futebol. Alguns desportistas se contentam em participar do jogo como um gandula, ao passo que outros não querem ser menos do que um cartola. Há até os que ficam satisfeitos em estar no banco de reservas... No extremo oposto, existem "atletas" de RH que, por confundirem suas funções no jogo, querem ser o Neymar da equipe.

A verdade é que a camisa 10 não é para o homem de RH – mas ele tem sua camisa e não fica fora do time titular. Tem de ser um dos onze em campo; aquele que participa da jogada e passa a bola para o Neymar (o CEO) e também dá apoio para o goleiro. Para mim, ele é o camisa 5 do time. É evidente que em determinados momentos ele também faz o seu gol. Jogando assim ele será valorizado e terá sua importância reconhecida como uma das peças-chave para a vitória do time. Aliás, essa parece ser a parte mais difícil de todo o processo: conseguir que o RH reconheça claramente seu papel no jogo. Às vezes é preciso lutar para ganhar a posição, mas isso faz parte do campeonato. Cada vez mais, assistimos a profissionais de RH deixando a área para tornarem-se CEOs das empresas.

Vou confessar que muitas vezes tive de, literalmente, adentrar salas de reuniões portando a cadeira em meus braços para conquistar o necessário espaço para as atividades de RH.

O bom é que, com o tempo, a importância do RH ganhou sua merecida dimensão. Nem menos, nem mais.

Como diretor de Recursos Humanos da Bayer S.A., aceitei o desafio de, com minha equipe, tornar a empresa interessante a ponto de atrair pessoas especiais, comprometidas e competentes para trabalhar nela. E oferecendo a essas pessoas a convicção de que seriam motivadas, reconhecidas e respeitadas, além de poderem contar com as oportunidades de progresso e realização de seus sonhos profissionais.

Gratidão, a mãe das outras virtudes

Assim que assumi a área de RH da Bayer S.A. tive de enfrentar um problema delicado, que envolvia um departamento de produção de inseticidas. Ali, havia um setor de envasamento de Baygon que liberava pequenas quantidades de gases tóxicos, mas constantes, o que poderia ser prejudicial à saúde, principalmente das mulheres.

Andando um dia pela fábrica notei que algumas mulheres usavam bonés de cores diferentes. Quis saber o porquê daquilo e a resposta acendeu em mim um sinal de alerta. Informaram-me que de tempos em tempos as mulheres eram submetidas a um exame para medir a enzima colinesterase do sangue. Se houvesse variações seria um alarme quanto à possibilidade de intoxicação. Nesse caso, a pessoa mudava de setor, e de cor de boné, para evitar problemas de saúde.

Intrigado com a questão, fui conversar com o médico do trabalho, locado na área de RH, e fiz a pergunta direta e inevitável: "Doutor, diga-me sem rodeios: o que aconteceria se uma dessas mulheres engravidasse?".

Já imaginava a resposta. O médico confirmou minha suspeita de que em caso de gravidez, sim, teríamos um problema, pois o feto poderia sofrer consequências na saúde.

Obviamente, levei o assunto à diretoria da área e à presidência. De imediato, mudanças foram implementadas em relação ao elemento humano. E também no médio prazo, com a substituição das próprias máquinas, eliminando-se assim as condições insalubres geradas pelo escapamento do inseticida.

A primeira medida, também a mais urgente, foi afastar as mulheres do departamento, para desespero do gerente de produção da época, ávido por cumprir as metas estabelecidas. E, como todo homem desesperado torna-se insensível, tomou uma medida bem drástica: demitiu todas as mulheres em retaliação à minha atitude.

Minha sala ficava no nono andar do prédio da administração. Quando cheguei para trabalhar às 7h30 da manhã seguinte, o que encontrei foi uma fila de cerca de trinta mulheres, já com os uniformes de trabalho, sentadas no chão, com as costas na parede, e muitas aos prantos. Era um buchicho só.

Minha secretária me explicou que todas tinham sido dispensadas e que traziam um recado do gerente de produção: "Digam que estão demitidas e entendam-se com o senhor Theunis".

Percebi rapidamente o que se passava: o gerente de produção me transformara no vilão daquela situação insustentável. Minha determinação era comprar aquela briga para preservar a saúde daquelas trabalhadoras e, ao mesmo tempo, preservar a imagem de uma empresa que cultivava a ética.

Em vão tentei conversar com o gerente, que simplesmente bateu o telefone na minha cara – na visão dele, e por minha "culpa", as circunstâncias o obrigavam a abrir mão das trinta funcionárias.

Contudo, àquela altura da vida – e em pleno percurso de escalada do Everest Corporativo – eu já havia aprendido a não desistir facilmente. Procurei ninguém menos do que meu chefe, o presidente da empresa. A decisão dele era a da empresa: apoio total à minha decisão.

Não havia tempo a perder. Voltei ao gerente de produção e comuniquei que todas teriam de ser readmitidas – e ainda negociei com ele um prazo de noventa dias para a realocação das trinta mulheres.

Com o tempo as coisas se ajeitaram. Algumas foram trabalhar no restaurante, outras na faxina ou em setores como portaria, embalagem, farmacêutica etc. Em suma, nenhuma perdeu o emprego e o problema foi resolvido.

Qual a moral dessa história? O importante é você manter seus princípios porque o poder de que você é investido pode fazê-lo cometer injustiças e até crimes. E esse episódio mostra que tudo pode ser solucionado sem grandes traumas – no caso, sem demissões, sem acabar com a produção, sem greve e sem problemas com a Justiça. E ainda com uma superlativa vitória: livrando seres humanos de uma situação de risco à sua saúde.

No entanto, justiça seja feita: a Bayer também cumpriu com suas boas intenções: com a mudança dos equipamentos aquele setor deixou de ser problemático.

Veja como é fundamental poder trabalhar numa empresa ética, que segue princípios nos quais você acredita. Não abra mão dos seus valores.

A vida, no entanto, prepara suas surpresas; às vezes emocionantes surpresas.

Aproximadamente vinte anos depois, em 2004, estava eu escolhendo uma armação de óculos numa ótica da zona sul de São Paulo, com minha esposa, quando entrou na loja uma bonita senhora negra e caminhou decidida em minha direção: "O senhor não é o "seu Têunis"?".

Ainda sem entender a cena, confirmei com um movimento de cabeça.

"Eu reconheci o senhor!"

Aproximou-se mais e me abraçou emocionada e começou a soluçar.

Então, a senhora fez questão de contar a história em voz alta para que todos ouvissem: "Há muito tempo este homem não deixou a firma me demitir... Porque a gente trabalhava com veneno na firma...Fui transferida e fiquei lá até me aposentar".

O resto da história você já conhece. Todo aquele passado, porém, voltou à minha cabeça: eu tinha marcado a vida daquela mulher. E, certamente, também a vida de todas as suas colegas de trabalho!

O grande filósofo e orador romano, Marco Túlio Cícero, ou simplesmente Cícero, dizia que "a gratidão não é apenas a maior de todas as virtudes, mas a mãe de todas as outras virtudes".

A gratidão simples daquela mulher não só me emocionou como me fez constatar que quem se sentia, realmente, grato era eu. É maravilhoso ter a oportunidade de saber que ao longo de sua vida profissional você valeu bem mais do que o seu salário.

Acho que fiz o mais valioso: não abri mão dos meus valores fundamentais. Então, eu me lembrei de que se uma de minhas filhas, na improvável situação de me perguntar, hoje: "Quando você morrer, pai, o que a gente vai herdar"? Eu responderia, simplesmente: "Meu nome!".

A vida, felizmente, é pródiga dessas pequenas prendas.

Gols anunciados × gol sonegado

Casei-me com Stefanie em 30 de junho de 1974, às vésperas de completar 23 anos – uma faixa etária para casar mais típica da geração de meu pai do que da minha.

A cerimônia religiosa, seguida de festa, foi no sítio da minha cunhada, Bárbara. Ao mesmo tempo em que eu me casava, acontecia o jogo Brasil e Argentina, pela Copa do Mundo. Meu tio Ivan, cunhado do meu pai, tinha os dois olhos, mas apenas um dos ouvidos ligado na cerimônia. O outro estava bem longe, com seu radinho de pilha colado na orelha.

O resultado foi 2 × 1 para o Brasil, mas só os três gols favoráveis é que foram devidamente informados aos convidados pelo tio Ivan. Do "quase" argentino, nós só ficamos sabendo no fim do jogo. Indagado sobre a razão de sonegar a narração dos dois gols da Argentina, tio Ivan arrancou boas risadas de todo mundo: "Achei que não era hora apropriada para más notícias...".

A lua de mel foi na casa dos pais da minha concunhada, Meibel, em Ouro Preto, para onde seguimos de ônibus. Seus pais saíam todas as noites para passear e deixar o jovem casal à vontade no quarto de núpcias. Diziam que iriam à igreja e depois visitar uns amigos. Pelo visto a estratégia deu certo, pois nove meses e doze dias depois da lua de mel, nascia nossa primeira filha, Juliane, em São Paulo.

Para um executivo é fato comum viver em estado permanente de tensão; mais ainda se ele vive num ambiente de ostentação, exibindo seu poder – atitude fatal para causar infelicidade e aflição. Para enfrentar as fraquezas e a paranoia, muitos sucumbem ao álcool e às drogas – os mais frágeis, diante de tamanha pressão, podem chegar até o limite do suicídio. O fato é que um executivo necessita de válvulas de escape – alguns hobbies.

Certa vez alguém me perguntou qual teria sido a minha decisão se minha esposa não tivesse se proposto a me acompanhar à Alemanha. Difícil responder, porque não vivi essa experiência; ela não só me acompanhou como se deu perfeitamente bem em sua estadia por lá. Eu precisava estar principalmente focado no meu trabalho e nos contínuos desafios dele decorrentes, e ela foi um ótimo ponto de equilíbrio. E confesso que aproveitamos muito as coisas boas da Europa com as três filhas, durante nossos oito invernos alemães.

A vida é cheia de dilemas e cada um deles deve ser considerado à medida que for surgindo. Contudo, o importante é que qualquer decisão que venha a ser tomada leve em conta a meta de longo prazo.

Dou como exemplo o caso de Neymar. Indo para o Barcelona ele deixaria de ser o reizinho em sua terra – e ainda ficaria abaixo do Messi. Isso é o que, tecnicamente, chamamos de sair de sua zona de conforto com um *downgrade*. Acontece que toda escolha implica desafios novos que precisam ser vencidos para que possam se transformar em novas e grandes oportunidades. Afinal, é assim que se cresce. Para nascer, toda ave tem de quebrar a perfeição da casca.

Quando fui para a Alemanha, o foco nítido era fazer carreira, viver a cultura europeia e, com minha esposa, dar uma educação diferenciada para nossas filhas. Esse tesouro ninguém tira delas, até a morte.

Aquela mudança era a oportunidade da minha vida, a realização do meu sonho de me tornar um executivo internacional: eu conheceria o mundo, aprenderia outro idioma, moraria fora do Brasil... Certamente teria um bom emprego, ganhando bem, em perfeitas condições de poder oferecer conforto e uma nova base educacional e cultural para minha família.

Enfim, não era uma aventura, mas, sim, um desafio. Um enorme desafio. Afinal, se você não é solteiro, mesmo que não tenha filhos, tem de ir alerta e não apenas pelo embalo. Uma coisa é seu cônjuge dizer que adora Nova York, por exemplo. Porque uma coisa é adorar Nova York para fazer compras, e outra, muito diferente, é se mudar para lá, viver lá, morar fora do seu país. Vai encontrar uma realidade totalmente diferente, em que o dia a dia é feito de pagar contas, de responsabilidades sociais e familiares, de convivências novas, de compromissos escolares, de respeito às leis e aos costumes do novo país. Você não está mais na "sua casa", na zona de conforto do "seu lar". Agora você é uma visita e como tal deve se comportar – pelas regras dos "donos da casa". Resumindo, é a vida real. Se você não avaliou tudo isso direito e com bom senso, no longo prazo a luta será inglória.

Tudo na vida tem seu preço e, em algum momento, a conta chega. De uma forma ou de outra, traz sacrifícios – mas o importante é que, no fim, tenha valido a pena. Essa operação tem de ser de adição, não de subtração, e o resultado deve ser positivo.

O desgaste natural da vida e do tempo nos conduziu à separação.

De novo, o viver exige reflexão e coragem.

Há quem diga que "na vida a gente deve se arrepender mais por aquilo que não fez"... Quantos casais vivem em desarmonia e fingem que o tempo não passa! Mais vão envelhecendo, mais amargurados vão ficando na vida a dois. Vivem um relacionamento medíocre, sem renovação, sem ar, asfixiados no medo de ficarem sós. E por puro pavor da queda, acabam se dando um dos braços para se equilibrar, com os outros dois, num único par de muletas.

Todos morreremos um dia e, como se diz na roça, "tudo o que se leva desta vida é a vida que se leva".

Não guarde ressentimentos. Cuide de suas amizades, não importa quanto elas vão durar. Não cultive relacionamentos destrutivos. Respeite a si mesmo e tenha os olhos sempre voltados para o futuro.

Atrevimento quando a causa é justa

I

Nas minhas atividades de RH entendi que, naquela época, um fundo de pensão seria um grande diferencial para atração e retenção de pessoal para a Bayer do Brasil. Todavia, percebi rapidamente que a tarefa não seria nada fácil, pois além dos custos de implantação, praticamente toda a direção da empresa, com minha exceção, era formada por colegas alemães, que já tinham este benefício na matriz alemã.

No conceito inicial, todos os empregados, independentemente do nível hierárquico, deveriam fazer parte do plano para ele não ganhar um carimbo de elitizado. O presidente da empresa também estava convencido de que seria um grande diferencial para a Bayer do Brasil, pois apenas quatro empresas privadas tinham algo semelhante no país.

Havia apenas uma grande empresa de cálculos atuariais no Brasil e seu know-how vinha dos planos realizados para empresas estatais. Seguindo a regra, o modelo de plano, que nos foi apresentado era caro. Representaria um aumento de mais de 12% na folha de salários nominais. Lá fui eu para a matriz da empresa na Alemanha defender o tal plano. Cheguei alguns dias antes da reunião de investimentos e meu colega, diretor do fundo de pensão de lá, com o qual tinha uma relação bem amistosa, me disse: "Theunis, lamento, mas já estou sabendo dos colegas que prepararam a documentação para a reunião de investimentos que o plano para o fundo de pensão da Bayer do Brasil, lamentavelmente será apresentado com a recomendação para ser rejeitado". Quando perguntei por que, ele respondeu: "Está muito caro!".

Senti um calafrio e, em seguida, liguei para o meu presidente no Brasil fazendo-lhe uma sugestão: "Vamos retirar o nosso plano da pauta da reunião de investimentos". Ele retrucou: "Como assim?". Eu respondi: "Já sabemos de antemão que o plano será reprovado. Vamos reavaliar tudo e, se conseguirmos viabilizá-lo, reapresentaremos daqui a alguns meses".

Perguntei ao diretor do fundo de pensão da Alemanha: "Então, qual seria o valor que você acha que teria chance de ser aprovado?". Ele me disse: "Não sei, mas acho que teria de ficar abaixo de 5%".

Voltei ao Brasil e disse ao matemático atuário que precisávamos de um fundo que custasse, no máximo, 4,5% sobre os salários nominais. Ele me disse, com um sorriso nervoso e a experiência de quem fazia planos para empresas estatais: "Impossível, você quer arruinar minha reputação. Isso não seria um fundo de pensão, seria um 'afundo de pensão'. Não tenho coragem de assinar um laudo com esse número e essa qualidade". Bem, como diz o provérbio alemão: "a sopa nunca é tomada na temperatura em que foi cozida", ou seja: espere a temperatura cair... No final, fizemos um plano com uma taxa de contribuição 4,642% sobre os salários nominais.

Quando meu presidente viu o novo plano e comparou-o com o de 12%, disse-me: "Theunis, eu teria vergonha de apresentar este plano aos nossos empregados". Não tive dúvida e afirmei: "O senhor teve vergonha quando viu seu filho pela primeira vez, ao nascer? Pois é, o que nós precisamos neste momento é da aprovação da Alemanha para o nascimento da nossa criança. Depois, nós vamos cuidar dela muito bem. Um dia, ela será o nosso orgulho". Assim nasceu a Previbayer em setembro de 1982, considerada pelas próprias autoridades reguladoras, após alguns anos, como um "fundo suíço". Ah, mais uma coisa: até hoje, a taxa de contribuição para o fundo continua 4,642%, apesar de ele ter melhorado muito. Em razão de reorganização societária, uma parte dos beneficiários da Previbayer foi transferida para a Lanxessprev.

II

Queríamos construir em São Paulo um clube esportivo e social para os funcionários, mas o vice-presidente para a América Latina veio ao Brasil, visitou o terreno, viu a maquete e disse, sem dó: "Tudo muito bonitinho, mas da matriz vocês não receberão um tostão para isso. Mostre-me algo em que poderemos ganhar dinheiro".

Quando ele foi embora, meu presidente disse: "Lamento, Theunis, mas com essa reprovação, não teremos o nosso clube". Então, eu lhe disse: "Mas o VP não reprovou a construção do clube. Ele disse apenas que a maquete era bonitinha e que não receberíamos um tostão da matriz para a sua construção, ou seja: nada nos impede de tocar nosso projeto. Vamos construí-lo como investimento da Previbayer e alugá-lo para a Bayer do Brasil. Em setembro de 1985, num terreno de 11 mil metros quadrados,, na presença de mais de 3 mil pessoas, a Associação Desportista Classista Bayer (ADC Bayer) era inaugurada pelo ministro do trabalho Almir Pazianotto, que ainda trouxe a tiracolo o futuro presidente do Brasil, Fernando Henrique Cardoso, que, naquela época, era candidato a prefeito de São Paulo. Ele perdeu aquela eleição para o Jânio Quadros, mas tenho certeza de que ganhou votos de funcionários da Bayer S.A.

No seu discurso de inauguração, o presidente da Bayer do Brasil disse: "...uma empresa que se deseja intitular avançada precisa estar à frente não só no plano tecnológico, mas igualmente no plano social..."

* * *

Esses dois casos reais exemplificam que, quando a causa é justa, não devemos desistir. Acredite nela e, se necessário, "atreva-se".

Bye, bye, Brasil, ou da lagoa para o mar

Fiz várias viagens à Alemanha em meus primeiros anos de Bayer – e, sempre que podia, levava a família comigo. Uma vivência muito rica, sem dúvida. Contudo, assim que começava a me acostumar com determinada situação, vinha a vida e me tirava do território confortável, propondo-me algum desafio ainda maior.

Foi assim em dezembro de 1985, quando fui chamado para receber o bônus de Natal das mãos do presidente da Bayer S.A., Loechner. Além dos cumprimentos e das recomendações de praxe, pareceu-me o tempo todo que ele estava prestes a me fazer uma pergunta – dessas que presidentes fazem aos outros escalões e que costumam ser um misto de questionário de RH com futurologia.

Depois de rodear um pouco, com assuntos e fatos que ambos conhecíamos, como meus 35 anos, meu posto na empresa etc., disparou: "O que você pensa do seu futuro profissional, Theunis?".

Acho que não escondi minha surpresa diante da pergunta, que não soava como mera curiosidade, mas sim como uma sondagem direta. Como costumo apostar sempre na franqueza, em vez de tergiversar, também fui direto, sem rodeios: "Sinceramente, senhor Loechner, meu sonho é no futuro comandar o RH de uma empresa ainda mais importante do que a Bayer aqui no Brasil". E, tentando amenizar uma eventual conotação negativa, fiz questão de ressaltar: "Tenho grande admiração pela cultura alemã e gostaria de ampliar mais meu know-how profissional...".

Mal terminei a frase e ele, pragmático, já disparou: "Resposta errada! Decisão errada Theunis!".

(Pronto! – Pensei. Perdi meu bônus e meu emprego... Lá se vai minha carreira por água abaixo em nome da sinceridade!)

Fiquei assustado com a situação, mas permaneci em silêncio, aguardando o que viria pela frente.

Então ele quebrou o gelo com uma observação inesperada: "Você não deveria sair da Bayer. Deveria sair do RH".

Confesso que nunca tinha pensado no assunto. Estava com 35 anos e tudo o que eu sabia fazer na vida profissional era RH.

Foi então que me veio o estalo: será que eu tinha parado de subir o "Everest"?

Pelo visto estava na hora de me abrir para receber mais uma daquelas lições da vida... E a lição veio na forma de uma proposta surpreendente, que partia do próprio presidente da empresa: "Você deveria se inscrever no programa de *job rotation*, aqui mesmo, na Bayer...".

Como se sabe, *job rotation* é literalmente uma prática de "rotação de trabalho", adotada nas empresas com o objetivo de maximizar o aprendizado e, consequentemente, o aproveitamento, de seus funcionários, testando sua capacidade de aprender e se adaptar a novas atividades dentro da empresa. Nesse processo, não importa o cargo ocupado antes, o agora "aprendiz" passa por diversas áreas da empresa durante determinado período, a fim de conhecer todos os processos, as atividades e as especificidades de cada área. No fim, ele deve assumir uma nova atividade para "se provar" profissionalmente.

Loechner arrematou aquela nossa conversa com uma metáfora: "Vou tirar você da lagoa, onde você nada de braçada, para jogar você no mar... Se você conseguir sobreviver, vai se dar muito bem na vida. Se não conseguir, bem... A responsabilidade não é sua. O fato é que você tem de querer sobreviver para vencer o desafio".

Desafio lançado, desafio aceito. A vontade de escalar o "Everest" acendeu mais intensamente do que nunca.

Para resumir a história, oito meses após aquela conversa, em agosto de 1986 – aquele encontro se passara em dezembro do ano anterior – desembarquei na Alemanha com a mulher, as três filhas e o cachorro. E com um contrato de trabalho de três anos, que viraram mais de oito anos.

Em família as coisas saíam melhores do que eu imaginara. A esposa reagiu positivamente, assim como minhas

SONHAR ALTO, PENSAR GRANDE

três filhas, com 11, 10 e 7 anos, e que logo embarcaram na nossa onda. Depois percebi que, sob o efeito da excitação com a novidade, elas não estavam avaliando exatamente a complexidade da mudança.

De fato, o choque só veio com os primeiros "conflitos culturais" – e o primeiro deles foi logo no aeroporto de Frankfurt, quando elas não conseguiam ler nem entender nada do que estava escrito nas placas de sinalização. Poucos meses mais tarde, sentiram o baque do frio e puderam constatar que a neve não é assim tão romântica: podia até machucar. E como estranharam descobrir que qualquer pessoa na rua chama a sua atenção ou o corrige se você fizer algo errado.

Procurei sintetizar dentro de mim todos os pensamentos positivos que formulei ao longo da vida e me preparei para a missão para mim, inédita, de trabalhar na área agroquímica fitossanitária, como gerente de produto de um herbicida agroquímico.

Era um herbicida seletivo, chamado Sencor, usado na cultura da soja e em outras culturas das chamadas folhas largas. O grande desafio é que se tratava de um produto que já tivera sua fase áurea de sucesso de vendas e que na época se encontrava em decadência por razões técnicas que não valem a pena detalhar no propósito deste livro..

Em resumo, um belíssimo abacaxi.

Assumi o negócio, após um treinamento teórico e de campo, ainda no Brasil e, depois já na Alemanha, dentro do Centro de Agronegócios da Bayer AG em Monheim, cidade pequena que fica entre Colônia e Düsseldorf.

Aos poucos, percebi que estava sendo testado em minha capacidade de aprendizagem conceitual e estratégica.

Um ano depois me transferiram para a Área de Negócios Óxido de Ferro, dentro da Divisão de Química Inorgânica. No cartão de visitas o cargo que eu ostentava era "chefe de vendas", mas na verdade tinha de "bater mala" atendendo e conquistando comercialmente clientes na Europa, na Ásia e na América Latina.

Essa era a segunda fase do meu trabalho – o segundo ano do meu contrato de três anos dentro do *job rotation*. E no terceiro ano, continuei responsável pelo óxido de ferro. Trabalhei com o mesmo entusiasmo como quando eu era diretor de RH no Brasil. Rodava o mundo, viajando pela Ásia, pela América Latina, pela América do Norte e para Israel. Foi uma fase muito rica, profissionalmente. Gostei muito de conviver com executivos comerciais e proprietários de empresas grandes e médias

Quando, porém, o período acabou, preparei minha família: aquele seria o nosso último Natal com neve, uma vez que voltaríamos para o Brasil.

Foi quando recebi uma proposta irrecusável da Bayer: continuar na Alemanha, agora como procurador da empresa – um cargo de direção, em que você passa a ter uma procuração para agir como representante oficial da companhia no negócio mundial do óxido de ferro.

O convite veio diretamente do meu chefe, Knut Kleedehn, o terceiro grande mentor de minha carreira, um alemão elegante e carismático, que trabalhava duro, mas adorava celebrar a vida. Era membro do *board* da Bayer AG e superaberto para executivos de outras nacionalidades. Até hoje, quando vou à Alemanha, nós nos encontramos para um jantar, sempre no mesmo restaurante Alfredo, em Colônia.

"Você vai dirigir esta área!", ele me disse.

Aceitei, porque enxerguei ali uma grande oportunidade profissional. E foi mesmo. Fui promovido para dirigir a área, e assim acabei ficando mais cinco anos na Alemanha. Considero ter sido essa a fase mais importante da minha carreira na Bayer, em termos de salto qualitativo: dirigir a Área de Negócio Óxido de Ferro, que figurava entre as dez Áreas de Negócios mais rentáveis para a Bayer no mundo – ao todo o número de Áreas de Negócios da companhia passava dos cem.

Certamente você corre riscos, mas vira uma espécie de "oficial". E, ainda por cima, permitiu-me dar a volta ao mundo.

No início eu fiquei com a responsabilidade por uma área comercial regional; depois assumi toda a Business Unit Óxido de Ferro, que era a unidade de negócios completa – além da área comercial, é composta também pelas áreas de produção e de aplicação técnica. Foi, proporcionalmente, a fase mais rica da minha vida profissional na corporação Bayer. Incrivelmente a mais globalizada.

A fase de presidente da Bayer Polímeros no Brasil e diretor regional da divisão de plásticos de engenharia para a América Latina também foi muito interessante. Meu chefe, doutor Seeger, meu quarto e último grande mentor profissional, era um visionário muito inspirador. Fizemos várias aquisições no Brasil e na Argentina. Era um negócio no qual a Bayer tinha muito know-how, mas era praticamente ausente da América Latina. Só atuava aqui com importações, sem sites locais.

Havia também a vantagem de estar de volta à minha terra com minha família, depois de mais de oito anos de ausência.

Em dezembro de 1994, quando ainda estava na Alemanha, chegaram a me sondar: será que eu teria algum interesse em deixar a Alemanha e partir para os Estados Unidos? Será? A ideia, inicialmente, me entusiasmou a ponto de eu fantasiar em minha cabeça: "Que maravilha! Que fecho de ouro para a minha carreira! Por que não? Passar uns quatro ou cinco anos nos Estados Unidos e então, sim, voltar para o Brasil".

Naquele momento, porém, pensei mais em mim e na minha família, do que na empresa. Em meio àquele foco de conseguir mais uma medalha, veio à tona um assunto que tenho procurado manter à parte, inclusive neste livro: minha família. As coisas deixaram de ser fáceis como antes e eu já não me sentia mais como se estivesse "batucando com Beethoven". O ritmo se tornava mais difícil de acompanhar.

O fato é que minhas filhas estavam fazendo, respectivamente, 18 anos (Juliane), 17 anos (Caroline) e 15 anos (Sabrine).

Como diretor de RH no Brasil, eu tinha vivido a experiência de ver filhos de alemães "expatriados" que depois de

SONHAR ALTO, PENSAR GRANDE

seis, sete ou mais anos aqui, sofriam aquilo que eu não queria para as minhas meninas: a perda de identidade. Testemunhei aqueles jovens que já não eram brasileiros nem alemães, que não tinham um lugar sobre o qual pudessem dizer: "Aqui estou em casa". Vi casos em que quando o pai voltava para a Alemanha, o filho não suportava e acabava retornando ao Brasil – e quando aqui chegava, sentia saudade de lá. Como se tivesse dois corações no peito. E então me perguntava: "Será que é isso que eu quero para minhas filhas?".

O dilema não me saía da cabeça: "As meninas em idade de ir para a faculdade... Se forem aqui na Alemanha, ou se nos mudarmos para os Estados Unidos, fatalmente vão virar alemãs ou norte-americanas! O mais provável é que não teriam mais raízes. Não conseguiriam mais dizer: 'cheguei em casa'".

Sabendo ser crucial a experiência universitária para a formação definitiva dos jovens, a preocupação, ao menos para mim, fazia todo sentido, e eu não conseguia eliminar a ideia de que elas deixariam de ser brasileiras. Para esclarecer essa questão, veja bem: não se tratava de nenhum ufanismo ou algo a ver com orgulho nacionalista de que elas fossem brasileiras. O que me inquietava mesmo era o fator da identidade – eu queria que elas fossem o que de fato são: brasileiras. Era uma questão de legitimidade, de originalidade étnica. Elas seriam, para sempre, *made in Brazil*. Isso ninguém tiraria delas – muito menos seu pai.

Na época andei questionando isso até com o pessoal que sondava minha ida para a América, acho que mais para confirmar minha decisão já latente do que propriamente para me dispor a mudar de ideia. No fundo, eu já sabia que desejava mesmo voltar ao Brasil; que elas cursassem a faculdade na terra delas e que, no futuro, no fim dos cursos que escolhessem, cada uma decidisse seu destino e sua carreira sem nenhuma influência minha. Ou do meu trabalho.

Com isso, quero dizer apenas que, no fim das contas, o resultado é que não posso encerrar este capítulo sem chamar a atenção de quem me lê para mais uma lição muito importante: tudo nesta vida, sobretudo o sucesso, nos cobra um preço muito alto. Numa situação como essa você precisa, necessariamente e acima de tudo, avaliar os riscos, tanto os pessoais como os familiares. Só assim você adquire a plena consciência de quem sempre vai sair ganhando.

Contudo, é indispensável não perder de vista que a responsabilidade pela decisão é sempre colegiada, envolvendo a família.

Nem sempre se entra pela porta da frente

Nada pode comprometer o bom desempenho de uma temporada de experiências de vida. Quando deixei o Brasil através daquele processo de *job rotation*, eu sabia que era o diretor de Recursos Humanos da Bayer S.A. Quando desembarquei na Alemanha, descobri que o *downgrade* inicial era enorme.

Era como se estivessem me testando, porque o que tive de enfrentar pelo caminho não foi só uma pedrinha – foram pedregulhos de bom tamanho.

SONHAR ALTO, PENSAR GRANDE

Assim que me apresentei para o meu posto de gerente de um produto herbicida, fiquei duas semanas inteiras sem que meu chefe, o diretor da área, me convocasse para uma apresentação ou sequer me dirigisse a palavra.

Na verdade, ele delegara a um subalterno – um colega que era bom sujeito, por sinal – a tarefa de me fazer companhia na hora do almoço e pouco mais do que isso. E a verdade, então, surgiu cristalina: eu não tinha nada o que fazer ali, pelo menos no entendimento do meu chefe.

Era surreal: recebi uma sacolinha de plástico com todos os materiais de escritório: régua, grampeador, borracha, lápis, caneta, furador de papel etc., mas não havia uma mesa para mim. Eu ia me instalando, de maneira itinerante, nas mesas que estivessem vazias no momento, por seus donos estarem afastados por motivo de saúde ou de férias.

Não, não era uma simples questão de desorganização. E isso descobri em poucos dias: o diretor não me queria ali, junto dele. Podia não ser propriamente uma implicância pessoal, mas o fato é que não lhe agradava a ideia de ter de tomar conta de um estrangeiro "inexperiente em agroquímica".

Eu já havia tentado falar várias vezes com sua secretária, na intenção de cumprimentar meu novo chefe e perguntar-lhe que trabalho me daria, porém, ela se esquivava e ele estava sempre ocupado. Sempre arranjava uma desculpa. Adorava jogar tênis todos os dias.

Pensei comigo: "Pelo jeito a paciência não vai resolver as coisas... A situação exige uma atitude mais enérgica! Acabou a diplomacia".

Foi então que dentro de mim surgiu o "Theunis" que eu conhecia e que estava demorando a mostrar suas garras – já tinham se passado duas ou três semanas arrastando aquela situação "saia justa". E este Theunis me disse em alto e bom som: "É hoje!".

Foi uma cena meio tragicômica, que merece ser descrita.

Pela janela de vidro do salão cheio de mesas onde eu ficava "acampado", vinha observando que meu misterioso chefe chegava para trabalhar, sempre, logo após as oito da manhã. Nesse dia, cheguei antes e me instalei no sofá da sala dele, ainda vazia – era só uma questão de ficar esperando por ele... Quando a secretária abriu a porta e me viu, levou um susto paralisante. Incrédula, balbuciou: "O que o senhor está, está, está fazendo aqui?".

Minha resposta foi direta e óbvia: "Vim me apresentar e conversar sobre o meu trabalho com o meu chefe!".

"Mas o senhor não tem um horário marcado com ele!" – ela disse cheia de autoridade.

"Estou tentando falar com ele há um mês e hoje eu VOU falar com ele", insisti sem me intimidar. Não sei se disse "VOU" ou se disse "QUERO", mas o certo é que o verbo que eu pronunciei saiu assim, em letras maiúsculas e no imperativo!

Apesar de constrangedora, a situação era incontornável – e, para mim, imprescindível, pois eu precisava com urgência resolver minha vida. Agora, ou vai ou racha!

Até hoje ainda posso ver a cena na minha cabeça. Ele chegou meio ressabiado, meio curioso, aparentando certo

SONHAR ALTO, PENSAR GRANDE

receio de alguma reação intempestiva de minha parte, pois ainda não me conhecia.

Ele entrou na sala e passou por mim sem olhar. Foi direto até um console que ficava atrás de sua mesa de trabalho, abriu sua maleta e ficou "ganhando tempo", mexendo em papéis.

Depois se sentou e, afinal, me encarou: "Veja bem, senhor Theunis, vamos conversar sem rodeios: eu não queria o senhor aqui. Infelizmente, porém, eu não sou o dono da Bayer...".

Eu lhe disse: "Então, já temos a solução. O senhor não é o dono da Bayer e vai ter de ficar comigo aqui. Deixe-me esclarecer uma coisa: eu vim para a Alemanha para trabalhar e quero trabalhar, para isso, preciso que o senhor me dê trabalho e uma sala, dentro do padrão para o meu nível hierárquico. Isso já será um bom começo.

Embora ele pretendesse o contrário, o fato é que eu – pertencente ao nível gerencial – tinha direito a uma sala, como os demais colegas do departamento. De resto, eu não estava lá a passeio, mas num processo de *job rotation*. E realmente queria trabalhar. Até então, o máximo que tinha feito era ler (e como li!) sobre herbicidas e defensivos agrícolas – sinto que usei meu tempo positivamente.

No resumo da ópera, contornada a crise, o sujeito finalmente me delegou uma primeira tarefa: analisar o caso do herbicida chamado Sencor, que era um produto de sucesso no combate às ervas daninhas que competiam com a soja, mas cujo desempenho nos últimos anos, por um problema de resistência seletiva, estava entrando numa curva descendente de vendas.

O desafio que eu teria seria estudar alternativas para novas utilizações para aquele herbicida em outras culturas agrárias – e tentar reverter a sua curva descendente de vendas.

Como este não é um livro técnico sobre produtos agroquímicos, mas sobre meu aprendizado de vida, basta registrar que dei tratos à bola e parti para o trabalho, ajudado por um colega muito gentil, que via minha boa vontade para trabalhar e se prontificou a me ajudar. O fato de ser novato na área estimulou aquela criatividade, que também chamamos "sorte de principiante": acabei desenvolvendo um projeto para utilizar o Sencor em cana-de-açúcar. (Guardo até hoje os documentos desse projeto como um troféu da minha resiliência.)

Felizmente, o *big boss* da área, o chefe do meu chefe, aceitou a ideia e começaram a testar o produto. Primeiro na África do Sul e depois no Brasil.

Os louros desse trabalho não foram colhidos por mim. Um colega sul-africano, branco de origem alemã, que veio trabalhar no Brasil, adotou esse trabalho como seu "filho legítimo". Eu não me importei porque o que queriam, de fato, é que eu provasse que sabia trabalhar conceitualmente e não que eu saísse vendendo Sencor. Segundo, porque nos meus "Quinze Mandamentos" há um que diz: "Perdoe, quem já o magoou. Você desocupará espaços para preenchê-los com coisas boas".

O destino, porém, costuma aprontar das suas e, às vezes, quando você acha que o "filme acabou", acontece o inesperado, como descrevo agora.

Quinze anos mais tarde, já reinstalado no Brasil, onde agora eu era o diretor financeiro e administrativo da Bayer S.A., recebi um jovem alemão que vinha participar da auditoria interna anual da empresa. Na véspera de entregar o trabalho, ele entrou na minha sala e admitiu que era sua primeira saída da Bayer Alemanha para o exterior como auditor e estava inseguro com o relatório final, que havia produzido e queria saber se podia quebrar o protocolo e deixar eu dar uma conferida, antes de levá-lo à reunião oficial da diretoria com a participação do presidente. Ao ver seu sobrenome, perguntei-lhe se tinha algum parente na Bayer. Quando mencionou de quem era filho, confirmei que era filho daquele diretor, que atazanou o início da minha vida na Alemanha, e do qual eu havia invadido a sala. Claro que não comentei absolutamente nada sobre seu pai e fiz as observações necessárias para auxiliá-lo na conclusão do seu primeiro relatório de auditoria, fora da Alemanha. No dia seguinte, depois de apresentar o relatório e ter ficado muito feliz, disse-me que dali em diante eu faria parte da sua vida como alguém que o ajudara na sua primeira experiência no exterior como auditor. Quando nos despedimos disse-lhe que conhecia seu pai, que havia sido meu primeiro chefe na Alemanha e pedi-lhe que levasse a ele o meu abraço.

Então ele me contou que o pai, hoje, era um homem doente: sofria de glaucoma e não só já não trabalhava, como nem podia mais jogar tênis, uma de suas maiores paixões. Verdadeiramente fiquei com dó dele.

Veja como são as coisas! Depois de tantos anos, pude ajudar, com satisfação, o filho de um homem que tanta má vontade tivera comigo. E tenho a convicção de que essa foi a atitude certa. Passado todo aquele tempo, ali estava eu, prestigiado dentro da empresa, e sem guardar rancores de quem antes tentara me prejudicar – o velho senhor diretor. Seu filho era um bom menino. Entrei na vida desse jovem pela porta da frente, seguro de que quem saiu ganhando fui eu.

Gosto de uma frase atribuída a William Shakespeare: "Guardar ressentimentos é o mesmo que você tomar veneno e esperar que o outro morra".

Quanto ao sul-africano, "padrasto" do meu projeto, foi desligado da Bayer, enquanto eu ainda estava na Alemanha. Nunca procurei saber as razões.

CAPÍTULO 10

E A FAMÍLIA? VAI BEM, OBRIGADO

DEIXEI, DELIBERADAMENTE, UM CAPÍTULO ESPECÍFICO para falar das relações familiares durante a estada na Alemanha. Não apenas por facilidades narrativas, mas porque minhas filhas Juliane, Caroline e Sabrine sempre ocuparam um lugar especial – além de trazerem seus desafios e suas alegrias particulares, acabaram tendo um peso decisivo em nossa volta ao Brasil, conforme já relatei.

Apesar do frio e das dificuldades com o idioma, minhas filhas se adaptaram bem ao novo país e lá fizeram muitos bons amigos. Contudo, no que diz respeito ao ritual de iniciação, o batismo de fogo propriamente dito, não faltou aquele toque de crueldade típico da sinceridade das crianças.

Quando entraram na escola, as duas mais velhas ficaram na mesma classe, e a caçula no primeiro ano primário. Claro que logo no primeiro dia de aula, quando a professora pediu que se apresentassem à turma, falaram tudo errado, assim como também acontece com as crianças alemãs que chegam ao Brasil. A classe foi às gargalhadas e imediatamente surgiram os dois lados entre a criançada: o que preferia isolá-las, tirar sarro, fazer piada com as "brasileirinhas", e o acolhedor, que ofereceu amizade, apoio e afeto. Naturalmente, coisas espontâneas de criança...

No entanto, logo encontraram o próprio nicho de personalidade. Descobriram, por exemplo, que de alguma forma precisavam "mostrar serviço". Naquela época havia surgido no Brasil a lambada, que acabou fazendo enorme sucesso no mundo todo. Pois, acredite: na escola toda não havia ninguém que dançasse a lambada melhor do que elas!

O segredo é que essas escolas têm muitas competições entre si e, no quesito lambada, não existia páreo para as meninas. Obviamente, ficaram conhecidas como as "brasileirinhas da lambada". Durante todo o período de Alemanha fizeram parte de grupos de danças, o mais importante deles liderado pela professora Suheyla Ferwer, que foi um verdadeiro anjo da guarda para minhas três filhas.

Em mais ou menos um ano, já dominavam razoavelmente bem o alemão e as coisas foram ficando mais fáceis – inclusive com os vizinhos do bairro, com quem tiveram de se acostumar, dadas as diferenças culturais e comportamentais, que sempre exigem algum tipo de adaptação.

Uma coisa bacana mesmo, que minhas filhas adoravam, era que o ônibus da rua passava a um quarteirão de casa, pontualmente às 7h24. Assim elas chegavam à escola exatamente às 7h30. O mais incrível, e, para nós, até divertido, era essa história da pontualidade do transporte público: se por qualquer razão o ônibus chegasse mais cedo ao ponto, ele esperava até o horário marcado; se você chegar um minuto que seja depois das 7h24, "perdeu, playboy".

Embora os alemães sejam cheios de regras, essas coisas humanizam, porque no inverno, por exemplo, elas podiam cronometrar o tempo gasto na caminhada e chegar ao ponto junto com o ônibus, sem precisar ficar passando frio na espera.

Para quem não acredita em "anjos da guarda vivos", aqui vai uma prova. A professora de balé do ginásio, Suhey-la Ferwer, adotou não só Juliane e Caroline, mas também "die kleine Sabrine", a pequena Sabrine, como sempre dizia. Colocou-as na sua companhia de dança e "contratou" a mãe,

Stefanie, como idealizadora e montadora de palco. E lá se foram as quatro com toda a turma do balé da escola, apresentando-se na Alemanha, na França, na Finlândia etc... Esse apoio foi o mais importante recebido pelas crianças. Ficamos muito amigos e essa amizade foi posta à prova em muitos bons momentos, mas também nos mais difíceis. Virou uma troca perfeita, dessas que são comuns às "amizades para sempre", independentemente do tempo a da distância.

Nem tudo, porém, foram só lembranças leves e curiosas.

Uma vez o tempo esquentou – e eu senti toda a realidade que é viver em um país europeu aberto à imigração. Minhas filhas Juliane e Caroline tinham duas amigas de origem turca, embora nascidas na Alemanha, cujos pais as educavam à sua maneira cultural. Certa noite, chegando de uma viagem de negócios "bate-volta" ao Japão, encontro a seguinte cena: a amiga turca, então com 17 anos, estava abrigada na minha casa com uma ferida na cabeça e com alguns hematomas no corpo e a roupa suja de sangue. O pai tinha lhe dado uma surra por ter descoberto seu namoro com um jovem alemão.

Achei que o assunto poderia ser resolvido "civilizadamente" e com bom senso. No entanto, logo descobri que não seria tão simples assim.

Fui até o quarto da minha filha Juliane, e me espantei ao ver aquela garota, com um corte avantajado na cabeça – chorosa e muito humilhada, suplicando para ficar conosco, pois, afirmava, que para casa não voltaria.

Cansado da viagem, com *jet lag* e ainda por cima sabendo que teria de acordar cedo por causa de uma reunião já agen-

E A FAMÍLIA? VAI BEM, OBRIGADO

dada para manhã do dia seguinte. Aceitei a situação de emergência, no pé em que estava e mandei todo mundo dormir.

Passaram-se alguns minutos, ouvi um zum-zum-zum vindo da rua. Era o pai da menina chegando! E vinha numa Kombi, acompanhado de mais cinco amigos! Senti que o caldo ia engrossar.

Morávamos numa casa térrea, sem grades nas divisas dos terrenos, com os jardins de cada casa se encontrando, não tinha como não ver o vulto do pai e seus cinco amigos através da porta social com vidro leitoso, bem como o cheiro forte de fumaça dos cigarros, que também queriam entrar na minha casa. "Pensa rápido, Theunis, o que fazer? Chamar a polícia? Pensa rápido! Sair lá fora e apanhar? Falar em qual língua?" Eles só falavam turco e algumas palavras alemãs soltas. A campainha tocava uma música clássica linda, mas, naquele momento não queria ouvi-la. Perguntei para a menina, que estava sentada na cama com Juliane e tremia como gelatina fora da forma: qual é o nome do seu pai? Voltei à porta de vidro, o cheiro das baforadas de tabaco já estava lá dentro e, sem abrir a porta, falei: "O senhor, por favor, chegue aqui. Quando vi o vulto do homem do lado de fora, abri a porta dando-lhe um boa noite, pegando-lhe na mão e puxando-o rapidamente para dentro da casa. Dei duas voltas na fechadura e pensei: "Se der briga, um talvez eu possa aguentar, mas seis, não vai sobrar nada de mim. Procurei acalmá-lo, mas tive pouco sucesso. Descobri rapidamente que deveria me comunicar com ele em alemão, mas apenas com palavras isoladas, sem pronomes, sem conjugação de verbos, como se estivesse dialogando com um índio numa tribo amazônica. Apontei o dedo para um pequeno respingo de sangue na camisa dele e disse: filha ferida, muita dor. Ele abaixou a cabeça por um segundo e, confesso, senti dó daquela figura humana. Ele foi direto ao assunto: "Onde filha?". Pedi à minha mulher que descesse e falasse com a menina que, claro, já ouvia toda a confusão desde o começo. Era a única que falava perfeitamente alemão e turco. Minha mulher volta e diz: "Ela disse que não vai voltar para casa e não quer nunca mais ver o pai". As negociações foram um fracasso. Conversa (tensa!) vai, conversa (tensa!) vem, ele resolveu ir embora. Falei à menina, está tudo bem, vá tomar um banho, pegue um pijama da Juliane e vamos dormir. Já são duas horas da manhã. Durou pouco. Às quatro horas, novo alvoroço. Além dos seis anteriores, vieram a mãe e o irmão da menina. Uma gritaria dos infernos – meu Deus, os vizinhos, imagine! No segundo seguinte, resolvi pelo menos este problema: "Danem-se os vizinhos, Theunis. Sua prioridade agora está aqui. Uma coisa por vez... Foque aqui!". Muita choradeira, a filha, ao ouvir a voz da mãe, toda envolta numa roupa árabe, na qual só se viam suas mãos e seu rosto, ajoelhou-se na minha sala de visitas com o irmão, se abraçaram e começaram a chorar e rezar, levantando as mãos para o teto. Foram minutos eternos, mas pensei, enquanto estiverem rezando está tudo bem. Rolou um acordo: a menina ficaria aquela noite conosco

No final da história, a menina foi encaminhada temporariamente para o conselho tutelar. Morou numa suíte de um alojamento, tipo hotel. Depois seguiu sua vida, casando-se com um rapaz turco.

Aquela noite ficou marcada na minha história. Entramos na "linha de fogo" das complexas questões culturais e religiosas.

No dia seguinte, meu bom vizinho, um holandês muito simpático e amigo, disse-me: "Que noite, hein, senhor 'Tônis'? Fiquei acordado, de plantão na fresta da janela e avaliando, quando chamar a polícia. Mas não precisou, não foi? Agora, meu amigo 'Tônis', traz uma pá e uma vassoura, para tirar as centenas de bitucas de cigarro, que estão enfeando a nossa rua e testemunhando tudo".

De resto, pontualmente às oito horas da manhã, eu estava no meu escritório, conduzindo uma reunião para tratar de minha recente visita ao Japão, como se nada tivesse acontecido. Na verdade, os problemas comercias japoneses também me tiravam o sono, mas, como tudo, também passaram.

Um elemento muito importante na formação de minhas filhas foi a convivência com as diferenças sociais, para além da redoma de vidro com as quais nos acostumamos no Brasil. Além disso, elas viveram a experiência de ser minoria e ter de, com muita flexibilidade, conquistar seu espaço.

Na sala de aula das minhas filhas, além das filhas do brasileiro, tinha o neto do ex-presidente mundial da Bayer, o filho do lixeiro da nossa rua, a filha da garçonete da cantina da diretoria, onde eu almoçava – todos estudando e aprendendo as mesmas coisas, na mesma escola, na mesma sala, na mesma biblioteca e com os mesmos professores. Todos têm direito às mesmas oportunidades. E que vença o melhor!

CAPÍTULO 11

BATUCANDO COM BEETHOVEN

É PROVÁVEL QUE A ESTA altura do livro já haja quem esteja se perguntando por algo que não mencionei até agora, nem mesmo com relação aos meus primeiros meses de empresa.

Um brasileiro trabalhando num ambiente germânico: houve algum tipo de choque cultural?

Para decepção de alguns posso afiançar: Não!

Não houve choque cultural nenhum. Às vezes, sentia-me tão à vontade que era como se estivesse "batucando com Beethoven".

Antes de mais nada, graças à admiração que sempre dediquei àquele povo. De certa forma é como se, de um jeito ou de outro, eu já tivesse nascido um pouco germânico. Meu pai sempre foi um homem pontualíssimo. Só tinha um defeito nesse quesito, chegava antes do horário combinado. Dizia: "mineiro não perde o trem!".

Era um homem cordial, muito correto, direto e educado. Sem saber, eu já trazia, de berço, valores que os alemães preservam e estimulam. Portanto, não precisei me autoviolentar para me adaptar.

As reuniões marcadas para as oito horas da manhã jamais começaram um minuto antes ou um minuto depois – começavam, definitivamente, às oito em ponto. E se estivesse prevista para acabar às 12h30, este era precisamente o horário do encerramento. Além dessa disciplina, que aprendi em casa, sempre gostei da maneira franca e direta com que meus colegas alemães se tratavam – e também aos de fora. Nesse sentido, fui um peixinho que nadava naquele aquário, porque me comportei, agi e vivi como um deles, sem precisar me esforçar muito para isso.

Posso afirmar que morar na Alemanha foi muito, muito bom. Tanto que fui com um contrato para ficar três anos e permaneci por "oito invernos". E mais meio verão!

Há exceções, mas no geral, nós, brasileiros, nos orgulhamos de ser "criativos", mas acho que cometemos um engano semântico entre as palavras "criatividade" e "improvisação". Estamos acostumados a pensar no "jeitinho", no "a gente se vira", no "na hora a gente vê como faz", como soluções para enfrentar a excessiva (do nosso ponto de vista) organização germânica. E, claro, quando as coisas não correm como gostaríamos, em vez de criticar o que não deu certo, gostamos de rapidamente celebrar o que deu certo. O que deu errado? Deixe de ser pessimista, na próxima a gente faz melhor.

Vamos ficar apenas no exemplo da indústria automobilística: vejam as inovações tecnológicas numa Mercedes Benz, num Porsche, numa BMW, num Audi. Por que é assim? Quando sai o novo modelo do ano, já começam as discussões: como faremos para esses modelos ficarem ultrapassados no próximo ano?

Contudo, também por lá acontecem coisas péssimas, que não podemos "varrer para debaixo do tapete". Uma recente foi o crime cometido com a adulteração do programa de monitoramento de emissão de poluentes em milhões de veículos a diesel do Grupo Volkswagen. A diferença é que a probabilidade de a empresa e seus dirigentes serem punidos criminal e financeiramente pela justiça é enorme.

Retornando ao tema, volto a insistir na mesma tecla: seria ilusório acreditar que eu me sairia bem numa empresa alemã sem estudar a língua do país. Por isso tratei de aprendê-la – por ter a convicção de que esse seria o atalho certo para o "meio caminho andado". Da mesma forma, seria ilusório supor que o tempo todo, e em todas as situações, tudo correu às mil maravilhas – mesmo dentro da minha visão positiva das coisas. Não por acaso, venho procurando ressaltar tudo de bom que me aconteceu, dando um destaque didático aos fatos negativos porque eu, na medida do possível, tinha de superá-los.

É claro que estou perfeitamente ciente de que as coisas mudaram muito desde a época em que vivi toda essa experiência. Contudo, para os mais jovens, posso destacar alguns pontos comparativos entre o "como era" e o "como ficou" – com enormes vantagens para os tempos atuais:

- O mundo ficou menor.
- A comunicação a distância passou a ser em "tempo real", com e sem imagem, e bem mais econômica.
- As passagens aéreas ficaram mais baratas.
- A moda é universal e simultânea – por incrível que pareça, antigamente havia um verdadeiro abismo até na vestimenta.
- Aprender um idioma hoje é mais uma questão de querer – pois a tecnologia e os métodos modernos estão à disposição de qualquer um. Quem acha que não tem aptidão para línguas, já pode utilizar tradutores de voz simultâneos, que estão cada vez mais evoluídos.

BATUCANDO COM BEETHOVEN

As oportunidades, em comparação a poucos anos atrás, são muito maiores. Cada vez mais empresas já oferecem a possibilidade do *home office*, parcial ou total, evitando as perdas de tempo e de qualidade de vida no trânsito. O *flex time* já é uma realidade massiva, que permite tornar o horário de trabalho flexível, sem o inconveniente estressante do "chegar atrasado".

Em compensação, caro jovem, você vai ter de se dedicar muito mais. Há mais gente no seu caminho e, portanto, a concorrência aumentou muito. Os mais qualificados, na sua especialização, sairão e se manterão na frente. Cada vez mais, vai ficando difícil "enrolar" no trabalho. A produtividade é por tarefa. A presença física, o "bater o ponto", já não é mais critério de avaliação, ou seja: "estamos mudando o conceito de ser pontual na presença física para ser pontual na entrega".

De resto, a primeira pergunta a fazer é a mesma que eu me fiz na ocasião: estou munido de ambição suficiente para me tornar um grande executivo da empresa que está se propondo a abrir suas portas para mim? Quero escalar o Everest corporativo? Até qual altitude? Ou prefiro ficar aqui na base, só observando-o?

Quanto a viver na Alemanha, deixei para o final do capítulo uma observação essencial: lá era diferente porque, basicamente, não havia a proteção do "casulo Bayer". Quando eu saía às ruas, era apenas um cidadão comum, sofrendo, às vezes, o preconceito racial. Certa vez, fui a uma grande loja comprar uma máquina fotográfica anunciada num jornal. Na hora de pagar dei um cheque de um banco alemão. O caixa perguntou-me constrangido se eu era estrangeiro. Ao responder-lhe afirmativamente, disse-me: "O senhor me desculpe, mas não podemos receber cheques de estrangeiros. O senhor precisaria pagar em dinheiro. Não adiantou apresentar-lhe meu passaporte com visto permanente, meu cartão de visitas, os dados da minha conta-corrente bancária alemã. Eram ordens de cima. Tive de pagar em dinheiro. Seguramente, isto não aconteceria mais hoje, pois o país é bem mais aberto aos estrangeiros e os meios de pagamento se modernizaram eletronicamente.

Eu nunca deixei de ser brasileiro, e se o tivesse feito isso me transformaria em alguém falsificado. Certamente, em muitos momentos senti falta da grande família que deixara no Brasil – irmãos, primos próximos ou mais distantes, amigos. Isso, porém, já estava na conta inicial de prós e contras.

Dos oito colegas da Bayer que partiram para a Alemanha na época para o programa de *job rotation*, sete retornaram ao Brasil antes do prazo previsto e saíram da Bayer. São pessoas preparadas e a maioria se deu bem profissionalmente na volta antecipada, mas fora da Bayer.

A Floresta Negra invade a Floresta Verde

Minha vida profissional deu-se sob o signo de duas florestas, mais simbólicas do que geográficas: a maravilhosa Floresta Negra, símbolo turístico e econômico da Alemanha, e a Flo-

BATUCANDO COM BEETHOVEN

resta Verde, também linda e imponente, o pulmão amazônico do planeta, é, em sua grande parte, brasileira. Quando constatava o conflito das duas na minha geografia afetiva, eu me perguntava: qual das duas vai sair ganhando?

E houve uma vez em que isso deixou de ser uma metáfora para se materializar numa situação geopolítica de fato. Alguém insinuou que a Floresta Negra poderia, realmente, invadir a Floresta Verde. Foi em 1993.

A Bayer costumava organizar, em seu maior auditório, palestras interessantes com figuras proeminentes, das mais diversas áreas do conhecimento, dirigidas aos executivos líderes. Numa delas, fomos convidados para assistir a um "general quatro estrelas", que, naquela ocasião, exercia um importante cargo militar de alcance europeu.

A palestra era muito interessante, mas a certa altura a conversa enveredou pelo terreno da ecologia e um dos executivos na plateia indagou sobre a questão da sustentabilidade no mundo. Para espanto geral, o general deu uma resposta bastante severa a respeito da Amazônia – pelo menos para um brasileiro. Ele simplesmente disse que o Brasil estava devastando a floresta Amazônica, reafirmando a posição de que a região tinha uma importância estratégica para o planeta e afirmou algo muito próximo disso: "Se o Brasil continuar a destruir a Amazônia e se esses 'boys' continuarem atacando-a com suas motosserras, vai chegar a hora em que teremos de invadir a área e declará-la território internacional. As forças de paz internacionais vão tomá-la dos brasileiros e, a seu modo, vão administrar o pulmão do mundo!

SONHAR ALTO, PENSAR GRANDE

Simplesmente não acreditei no que estava ouvindo e tinha a certeza de que o general nem desconfiava de que havia um brasileiro naquele auditório. Tive uma descarga de adrenalina e tentei pensar depressa: como reagir diante daquela inegável afronta dirigida ao meu país? Verdade que na hora eu estava na condição de "exército de um homem só", mas, em todo caso meu patriotismo aflorou na hora.

Meu cérebro entrou num processo de "análise 360 graus" em alta velocidade e concluí: preciso "dormir" uma noite sobre isso. Passei boa parte da madrugada acordado com o meu "travesseiro conselheiro"!

Avaliava as alternativas: mandar uma carta para o general, mostrando minha indignação e pedindo a ele que se explicasse melhor? Telefonar para a embaixada do Brasil e relatar o fato? Ligar para algum órgão de imprensa no Brasil? Não fazer nada? Quais poderiam ser as consequências de cada atitude?

Minhas conclusões:

- aquela "bomba" foi uma "explosão" de vaidade, de quem não tinha autonomia, autoridade nem jurisdição para uma afirmação daquele "calibre";
- naquele devaneio, ele quis demonstrar poder diante de civis;
- ele não tinha "bala na agulha" para nenhuma decisão dessa envergadura;
- havia sido um comentário infeliz e irreal, do qual ele poderia ter se arrependido.

145

Minha decisão: deixar quieto. Afinal, ali eu representava mais do que apenas um brasileiro indignado – eu era um executivo da Bayer AG, imbuído de suas responsabilidades. Não poderia colocar minha empresa injustamente numa situação constrangedora, cujas consequências seriam imprevisíveis. A corporação Bayer não tinha nenhuma responsabilidade sobre aquele devaneio e também não o endossava. Está amigavelmente no Brasil, desde 1896.

Resultado: esse acontecimento foi há 23 anos, o general já está na reserva e a Floresta Negra não invadiu a Amazônia.

Por isso é tão importante medir as consequências dos seus atos. Nunca aja como um macaco numa loja de cristais.

Em RH existe um processo que se chama avaliar o chefe em 360 graus. Aconselho você a fazer o mesmo em sua vida. Quantas vezes você perde a paciência com um vizinho, um amigo, um colega de trabalho ou no trânsito? Pois é: antes de tomar uma atitude, meça as consequências por todos os ângulos. Por exemplo: sua sobrevivência vale mais do que um assalto? Então entregue logo tudo ao ladrão. Este é o equilíbrio que temos de treinar na vida.

Deu zebra no futebol

Já mencionei aqui que um executivo de RH, como um bom atleta, precisa estar sempre em campo – foi, pelo menos, o que sempre teorizei a respeito. Até o dia em que descobri que às vezes ele precisa agir fora das quatro linhas – e que o futebol nem sempre é apenas uma metáfora.

Foi o que aconteceu no episódio com o jogador Tita, que exigiu de mim habilidades inesperadas.

Para quem não se lembra, Tita foi parceiro de Zico no Flamengo, e contratado pelo Bayer Leverkusen 04, o time de futebol da Bayer que atua na primeira liga do futebol alemão. A rigor, foi um jogador de sucesso, no time que conquistara a Copa da Uefa em 1988. Sua atuação atípica foi quando acabou me trazendo uma boa dor de cabeça, num episódio do qual, como executivo da Bayer, não pude "tirar o corpo fora".

Quando Tita estava para chegar, um vice-presidente da Bayer, também ligado ao esporte, pediu-me que o ajudasse na integração do rapaz ao time e à cultura local. Imagino que qualquer estrangeiro pense que todo brasileiro adora futebol e entende tudo sobre o assunto. De minha parte, confesso que joguei futebol na infância e na juventude, bem como ia aos estádios assistir ao meu time, mas com o tempo fui me afastando do campo, nos dois sentidos. Nunca havia ouvido falar de Tita mas, depois do caso, até nos tornamos amigos.

Tudo transcorria sem problemas, cada um atuando em sua área e se encontrando com a família nas horas vagas, quando ocorreu o episódio do cartão vermelho recebido por Tita em um jogo do Campeonato Alemão entre o Bayer Leverkusen 04 e o Bayer Uerdingen. Isso mesmo, na época a Bayer tinha dois times de futebol e eles eram bem mais rivais do que Corinthians e Palmeiras. O mais grave é que, por uma falha técnica, o lance causador do cartão não chegara a ser filmado, não havendo, portanto, a "prova" para a justiça esportiva. Como tudo na Alemanha, o futebol também é levado mais a sério do que o conhecido aqui no Brasil e, por isso, todos os cartões vermelhos vão a julgamento. Se o jogador for considerado culpado e condenado, fica excluído da competição por determinado número de jogos – a pena em si.

Pois lá estava eu trabalhando duro e suando a camisa "social", para o trabalho, para o qual era pago quando o mencionado vice-presidente me liga para me notificar do ocorrido – lembra-se de que "todo brasileiro adora futebol"? – e, para meu espanto, pedir a minha companhia na sessão de julgamento, que seria realizada no tribunal esportivo em Frankfurt. Tita, segundo a informação, estava muito abalado e nada como um amigo brasileiro para estar ao lado dele naquela hora, ou seja: também na Alemanha, às vezes, "o vício vem antes do ofício!".

Abalado fiquei eu. Como se eu não tivesse mais nada para fazer! Ainda tentei argumentar: quem faria o meu trabalho na minha ausência?

O pedido para oferecer assistência ao jogador vinha do chefão do meu chefe. Não havia para onde fugir. Ainda que a contragosto, lá fomos nós: eu, Tita e o diretor do time de futebol da Bayer para o Tribunal, rumo a Frankfurt.

Meu papel, pelo que estava muito bem definido, era o de amigo e compatriota; um papel apenas de solidariedade e apoio, digamos...

Ao chegar ao Tribunal tivemos de atravessar um verdadeiro "corredor polonês" de fotógrafos, câmeras de TV e repórteres – e eu sem ter a menor ideia do que me aguardava lá dentro.

Tudo ocorreria a portas fechadas.

O juiz convocou o jogador para se sentar à sua frente, e fez a pergunta básica:

– O senhor fala alemão?

Diante da negativa do jogador, o magistrado "ordenou" que o tradutor presente entrasse em ação. Pelo visto seria de responsabilidade do réu ter a presença de um tradutor. No entanto, o Tita não o levou!

Não demorei muito para perceber a "enrascada": o tradutor seria eu!

Nem tive tempo de recusar ou mesmo "pensar 360 graus". Assumi o papel improvisado e, sentado ao lado de Tita, senti correr pelas minhas veias toda a adrenalina que a situação produzia. E logo eu, que não entendia muito de leis e menos ainda de futebol.

O juiz pediu a Tita que narrasse o ocorrido. E ele não se fez de rogado. O problema é que eu simplesmente ignorava aquelas gírias esportivas. Além disso, aquele vocabulário todo cheio de expressões como "meio-campo", "drible", "matar no peito", "dar um carrinho" me era estranho em qualquer idioma. E o Tita, todo prosa, contando a sua versão com detalhes técnicos, que me apavoravam, quando imaginava que teria de traduzi-la para o alemão. Cheguei até a torcer para ele não parar mais de falar. Como eu poderia dizer aquilo em alemão se eu mal conhecia seu significado em português?

Quando Tita acabou de falar, o juiz fez um sinal em minha direção: era minha vez de entrar com a tradução. Naturalmente, minha vontade era dizer a verdade: "Meritíssimo, eu não sou tradutor coisíssima nenhuma... Com Vossa licença, *auf Wiedersehen!*".

Olhei para mim mesmo e disse-me: "Theunis, se vira nos trinta!". Acredite se quiser, mas o texto que eu disse naquela solene sessão de julgamento foi mais ou menos este: "Meritíssimo, como Vossa Excelência pode observar, o depoimento do Tita foi longo e sem pausas. Estava dizendo que é um jogador profissional desde os 17 anos. Já jogou pelo Flamengo e até pela Seleção Brasileira de Futebol. Por isso se sente muito envergonhado de estar na presença de Vossa Excelência. Ele acredita ter havido um erro da arbitragem contra ele e que no episódio em questão teria razão. Mas, independentemente deste julgamento, seja qual for o resultado, ele desde já pede desculpas pela situação, pois está na iminência de receber, injustamente, a primeira punição numa justiça esportiva, por obter um cartão vermelho por uma falta que não cometeu. Ele está muito abalado e sem condições de continuar depondo (graças a Deus)".

Trocando em miúdos, não fiz tradução nenhuma, mas a minha adrenalina me ordenava: se vira, fala alguma coisa.

Em seguida foi a vez de o árbitro da partida falar. Para ser franco, não prestei muita atenção e não sei bem o que foi dito. Eram palavras típicas do mundo do futebol. Só me lembro de que o juiz saiu da sala e algum tempo depois retornou. A imprensa invadiu a sala e nesse meio-tempo nós fomos liberados para voltar para casa.

Quando saiu o veredito, que demorou um pouco porque há todo um protocolo a ser seguido, já estávamos na estrada a caminho de Colônia. Ouvimos pelo rádio: Tita fora absolvido. Comemoramos e chegamos a Colônia em clima de festa.

Com alguns anos de antecedência – em relação ao general – a Floresta Verde tinha conseguido driblar a Floresta Negra.

Cada coisa que temos de passar na vida... Ufa!

CAPÍTULO 12

PASSAPORTE ALEMÃO OU UÍSQUE PARAGUAIO?

SONHAR ALTO, PENSAR GRANDE

REFLETINDO HOJE, À LUZ DE alguns episódios citados aqui, penso no que pode ou não ter significado para minha carreira a recusa por um passaporte alemão.

Eu já estava trabalhando na Bayer da Alemanha havia seis anos quando o simpático gerente de RH para funcionários estrangeiros me chamou para tomar um cafezinho *made in Brazil*. Resumindo, ele me sondou sobre como eu viria a possibilidade de a empresa me dar um presente, ou seja: de me ajudar para eu ter um passaporte alemão. Para tanto, eu "só" precisaria abdicar da nacionalidade brasileira. Isso me traria inúmeras vantagens, inclusive algumas bem práticas, como facilitar muito a minha vida em aeroportos mundo a fora, trânsito livre nos controles de passaporte, isenção de vistos de trabalho na Alemanha e de entrada em vários países – tendo em vista que eu vivia viajando a negócios pela empresa.

Ele, na maior boa vontade, tinha a certeza de estar me oferecendo nada menos que, naquela época, a nacionalidade da terceira maravilha econômica do mundo. Pedi-lhe que me oferecesse mais um café, mas no dia seguinte, pois queria pensar sobre o assunto. Vinte e quatro horas depois, eu estava novamente com ele, agradecendo-lhe imensamente o presente, mas não poderia aceitá-lo.

Da maneira mais gentil possível, expliquei a razão da recusa: "Eu sou um brasileiro... E um brasileiro, com um passaporte alemão, onde se lê como sobrenome Baronto Marinho, local de nascimento: Alto Rio Doce, Minas Gerais, o que eu vou ser, senão um alemão falsificado? Como um uísque paraguaio. Pela simples razão de que eu não sou um alemão. Eu sou um brasileiro!". As dificuldades práticas eram mais um problema meu do que da empresa. Ademais, eu precisaria desistir da nacionalidade brasileira.

Naquela noite, quando cheguei em casa, disse à minha mulher: "Acho que esse será nosso último Natal na Alemanha".

Anos depois, almoçando com minha segunda mulher e com o meu segundo mentor, Rolf Loechner – o ex-presidente da Bayer S.A., que vinha a São Paulo regularmente fazer tratamento de saúde, contei-lhe esse caso. Ele me disse que, de fato, não pegou bem eu ter me negado a aceitar o passaporte alemão.

Paciência: minha posição sobre o assunto foi pensada. Nunca me arrependi!

Você jamais pode deixar de ser você mesmo nem abrir mão de seus valores fundamentais. Nunca, em momento nenhum, esconda ou se arrependa de ser – ou ter sido – o que você é!

Lembra-se dos Quinze Mandamentos do Capítulo 1?

"III – Aprenda a dizer não, sempre que necessário e na hora certa.

X – Não apague seu passado. Ele é seu alicerce mais profundo. Negá-lo é tornar-se um "indivíduo falsificado".

Para ilustrar, nada melhor do que um episódio da época em que eu dirigia o negócio de óxido de ferro. Quando assumi a direção da área, eu ocupava um lugar lateral nas

SONHAR ALTO, PENSAR GRANDE

mesas de reunião. Quando fui promovido para dirigir a Unidade de Negócios, passei a ocupar a cabeceira da mesa. Acontece que em negócios nem sempre você consegue atingir os 100% de certeza de estar tomando a decisão correta. São tantas as variáveis, as transações complexas demais e o tempo geralmente é curto para discutir e agir rapidamente. Em determinada reunião, diante de um tema especialmente delicado, havia muitos prós e contras. Até que eu me decidi por uma das vertentes. Ao final da reunião, um senhor, profissional tecnicamente competente e também boa gente e antigo na área, tinha sido meu colega e agora era meu liderado, mas era uma autoridade técnica no assunto, virou-se para mim e disse na frente de todos os demais, que a minha decisão estava errada.

Primeiro, ponderei. Lembrei que já tínhamos discutido o assunto intensivamente e que nenhuma decisão apontava para uma direção única e que, enfim, estávamos optando pela menos pior, ou, vá lá, pela mais razoável ou ainda com menor risco. Qual não foi minha surpresa quando ele interrompeu minha argumentação e me perguntou na lata, na frente dos presentes. Há quantos anos o senhor faz óxido de ferro?".

"Como o senhor bem sabe, há três", respondi.

Sua resposta era esperada: "Pois é! Eu só faço há trinta...".

Obviamente ele estava questionando a minha autoridade diante de todos presentes. Vi-me, portanto, na obrigação de responder ao ataque à altura e pensei: eu só tenho uma "bala na agulha" e respondi: "Não, não é verdade: o senhor o faz há cinco anos...".

Um pouco surpreso com minha "desinformação", nitidamente nervoso, mas educado e firme, ele ainda replicou: "Eu faço isso há 'apenas' trinta anos!".

Tentando manter a maior elegância possível, fui incisivo: "Há 25 anos o senhor se repete. Eu não acredito que alguém precise de mais de cinco anos numa universidade para aprender sobre óxido de ferro.

As pessoas que estavam na sala viram aquilo com "humor na hora certa" e deram uma boa risada. E eu me dei conta de que tinha feito o que tinha de ser feito, ou seja: validar minha nova função perante o grupo. Em seguida, o homem pediu férias e quando voltou me procurou: "Gostaria de pedir desculpas por ter questionado sua autoridade. O senhor fez muito bem em reagir daquela forma, mas acho que chegou a hora de me aposentar".

De fato, ele se aposentou porque não se sentia mais à vontade no nosso grupo de trabalho.

Portanto, se você tem a última instância de autoridade e for não questionado, mas insultado, mostre quem está no exercício do comando. Não fuja das suas responsabilidades.

Mesmo assim, não me arrependi de ter recusado o passaporte alemão. Tomei a decisão e a assumo até hoje. Afinal, como diz um ditado, não por acaso alemão, "cada um é o ferreiro do próprio destino". Nós é que estabelecemos nossa conduta – e não existe paraíso na terra. Muito menos para "alemães falsificados".

Para não ser o coelho da caçada

Insisto porque, como dizem os mais sábios, "água mole em pedra dura, tanto bate até que fura": a vida é um aprendizado permanente. Desde que descobri isso, menino ainda, fui aprendendo a ficar atento às oportunidades de receber uma lição. Muitas vêm pelo caminho convencional (os livros, os bancos escolares, os cursos livres), mas existem aquelas que nos chegam através de um amigo, de um conselho, de uma situação. Como, por exemplo, a *Fábula do coelho*. Ouvi de um grande amigo e colega de diretoria na Bayer S.A., o Werner, chileno de ascendência alemã, que era o diretor da Divisão Farmacêutica da Bayer e, por afinidades, viria a se tornar um grande amigo.

Foi em 1980. Eu tinha 29 anos e estava prestes a assumir a diretoria de Recursos Humanos da empresa, substituindo meu chefe, que tinha retornado à Alemanha. Eu seria o primeiro brasileiro a fazer parte do *board* – integrado por mais de quinze colegas alemães. Dias antes da posse, Werner me chamou em um canto e disse: "Vou lhe contar uma fábula e espero que você preste muita atenção a ela – para evitar que um dia você se veja no papel de um dos personagens".

A fábula narrava a história de dois ingleses, amigos de infância que acabaram seguindo caminhos diferentes na vida. Um deles, o John, enriqueceu. O outro, o Peter, caiu na miséria. Um dia, já adultos, John viu de sua limusine Peter andando como um maltrapilho na rua e ordenou ao motorista: "Pare o carro, vá até aquele sujeito e traga-o aqui". Peter se aproximou sem entender o que estava acontecendo, mas obedeceu a John e entrou na limusine. Se reconheceram e John resolveu celebrar o encontro casual, levando Peter para sua mansão. John ordenou ao mordomo que fizesse a barba do Peter, arranjasse-lhe novas roupas, mostrasse-lhe seu quarto e, além da mesa farta para o jantar, John convidou o velho e pobre amigo para uma caçada em suas terras na manhã seguinte. Maravilhado com as regalias das quais nunca tinha desfrutado, Peter animou-se todo ao se ver de arma em punho praticando esporte tão sofisticado. Sua alegria, porém, durou pouco. Ao apontar a arma para uma raposa que passava à toda, recebeu uma brusca advertência de John: "Não! Aquela raposa, não! Ela está no auge de sua forma e devemos poupá-la. Aquele cervo também não, por isso e aquilo, aquele javali também não".

As restrições do anfitrião, uma a uma, foram englobando todos os outros animais que apareciam – cada um com suas virtudes que, segundo John, eram impedimentos para serem abatidos. Até que Peter viu passar um coelho bastante "prejudicado" – não tinha uma das patas, uma orelha parecia ferida por algum disparo, a pelagem era cheia de falhas. Ele pensou: "Finalmente posso atirar num animal neste campo de caça. Sem perguntar ao John, preparou a arma para atirar, quando outra vez foi interrompido por John, mais aflito do que nunca: "Não, não! Neste coelho, não!".

Peter levou um susto, e muito espantado perguntou: "Mas por que nem neste coelho?".

SONHAR ALTO, PENSAR GRANDE

"Porque é nele que eu atiro todos os dias", respondeu John.

Ao final da narrativa, Werner fez-me seu alerta de amigo: "Cuidado, Theunis. Na sua cadeira aqui nesta sala, sentava-se o seu antecessor e ele era o coelho das reuniões de diretoria. Era nele que atiravam todos os dias. Não deixe que façam o mesmo com quem o sucedeu, ou seja: você!".

Entendi a advertência com muita precisão. Eu estava entrando em cena substituindo o antigo coelho da caçada, o homem de RH, e todas as armas estariam apontadas automaticamente na direção da minha cadeira – cabia a mim, portanto, demonstrar não ter a mínima vocação para alvo.

Em ambientes de cargos e egos elevados e grandes decisões, parece que as pessoas sempre escolhem alguém sobre quem tripudiar e mostrar os seus dotes de caçador. E, sob o disfarce da "brincadeira espirituosa", vão testando se você é "coelho ou leão".

O alerta de Werner foi decisivo: já entrei na primeira reunião com o espírito prevenido. Logo de cara, um dos diretores disse alguma coisa que parecia ser a senha para a abertura da "temporada de caça". Quando vi um dos "caçadores" partindo para cima de mim, eu o surpreendi. Mostrei-lhe minhas garras e minhas presas. Naquela cadeira não sentava mais o "coelho da caçada".

Não demorou e, claro, arranjaram outro para servir de alvo – mas rapidamente entenderam que este não seria mais o "cara do RH".

PASSAPORTE ALEMÃO OU UÍSQUE PARAGUAIO?

Esteja sempre com o radar ligado para não cair nesse tipo de situação extrema ou viciada; para não correr o risco de virar o saco de pancadas, o bobo da corte – seja na sala de aula, numa equipe de trabalho ou na sua turma de amigos do bairro. E também não queira ser o caçador sarcástico. Seja cooperador, jogue para o time, use de franqueza e transparência, sem tripudiar sobre os mais fracos.

Na verdade, a vida é cheia de variantes e cada situação pede uma ação diferente. Cabe a você escolher a melhor forma de se comportar no momento.

Recebi uma lição semelhante ao conselho do Werner num seminário de que participei em 1980. O tema era "Liderança Situacional" e aquele curso representou para mim um verdadeiro marco, um manual de sobrevivência na organização, quando se está em cargos de liderança.

Além de ter acesso a uma teoria de liderança nas organizações de maneira bem estruturada, recebi um treinamento, que me foi muito útil, com um professor que tinha ótimo senso de humor e simpatia – um espanhol chamado José Vicent Banet e seu colega Michel Caracushansky.

Aquilo marcou minha vida. Foi como se eu me sentasse na cabine de pilotagem de um avião e diante de todos aqueles botões (manche, *flap* etc.) alguém se dispusesse a me ensinar como funcionava a coisa toda.

Em linhas gerais, tratava-se de um treinamento em "Liderança Situacional", conceito desenvolvido por Paul Hersey e Kenneth Blanchard, que foi fundamental para o meu desenvolvimento profissional e metódico em liderança.

SONHAR ALTO, PENSAR GRANDE

Não existe um estilo de liderança adequado para todas as situações, mas ocasiões e estilos diferentes de gestores. A liderança situacional, ou líder que se adapta diante de certas situações, consiste da relação entre estilo do líder, maturidade do liderado e situação encontrada.[1]

- Quadrante 1 – A direção: quando o colaborador precisa aprender a tarefa a ser executada, cabe ao líder supervisionar até que o subalterno ganhe a necessária confiança.
- Quadrante 2 – A orientação: quando o colaborador já conhece a tarefa, mas precisa de um estímulo para a execução dela. O papel do líder, aqui, é estimular novas ideias e transmitir o conhecimento extra de que o colaborador necessita.
- Quadrante 3 – O apoio: quando o líder se encarrega de estimular o colaborador a adquirir a segurança e buscar o aprendizado, aumentando assim suas habilidades e seus conhecimentos. Neste caso, cabe ao líder oferecer mais apoio do que supervisão.
- Quadrante 4 – A delegação: quando os colaboradores já dispõem de um grau maior de autonomia e liberdade, demonstrando conhecimento e segurança com as tarefas. No caso, o contato do líder se manifesta com pouca supervisão e pouco apoio, só quando solicitado.

---

[1] Fonte: *Liderança situacional*. Disponível em: <https://pt.wikipedia.org/wiki/Lideran%C3%A7a_situacional>. Acesso em: 5 fev. 2016.

PASSAPORTE ALEMÃO OU UÍSQUE PARAGUAIO?

Um erro comum na forma de liderar é ignorar essas variações.

Se o leitor não está familiarizado com liderança situacional e está "escalando o Everest", sugiro que procure informações a respeito.

Não estou fazendo propaganda ou "jabá" para ninguém. Nem sei quem representa isso hoje no Brasil. E, claro, essa foi minha experiência pessoal. Pode haver várias outras teorias e técnicas, tão boas quanto.

Todos esses conhecimentos me voltaram à memória em dezembro de 1994, quando deixei a Alemanha para voltar ao Brasil.

No caminho de volta, parei na Inglaterra por algumas semanas, onde frequentei um curso muito interessante de gestão de negócios e estratégias de empresas, numa faculdade chamada Ashridge Business School. Ali, através do estudo de *cases*, aprendi sobre a dinâmica e até sobre o sucesso ou fracasso de diferentes empresas – chegando ao ponto de descer a detalhes como se estivessem passando um tomógrafo sobre o negócio.

Esse curso em Ashridge me abriu muito a cabeça. Aprendi a importância de ter visões estratégicas – o que, no mundo dos negócios, às vezes implica deixar o egoísmo de lado, saber dividir e não querer tudo só para si. Por trás desse conceito reside uma ideia bem simples: tudo o que é bom vai dar certo e mais cedo ou mais tarde, vai emplacar. Portanto, de nada adianta você guardar ou esconder uma invenção, pois outra empresa ou pessoa vai descobri-la. E vai copiar ou desen-

SONHAR ALTO, PENSAR GRANDE

volver uma ideia semelhante – e, no fim, vai acabar sendo a proprietária de um negócio que poderia ter sido seu.

Quando voltei ao Brasil para assumir, sucessivamente, a Diretoria de Finanças e Administração da Bayer (janeiro de 1995) e a presidência da Bayer Polímeros S.A. (janeiro de 1997) eu estava, em linhas gerais, mais municiado para enfrentar novos desafios.

Definitivamente, eu não seria o coelho da caçada.

Uma corrida de obstáculos

Cheguei de volta ao Brasil e, logo no início de 1995, já assumi a Diretoria de Finanças e Administração.

Seria mais uma vez pioneiro. Fui o primeiro diretor de RH brasileiro a frequentar a reunião de Diretoria. Fui o primeiro brasileiro a ser nomeado para dirigir uma área de negócios na Alemanha. E agora, novamente, seria o primeiro "estrangeiro" a dirigir Finanças e Administração – até ali, na história da Bayer S.A., o cargo tinha sido destinado, sempre, a alemães.

Lembro-me de que nessa ocasião, quando ainda estava na Alemanha, na véspera do meu retorno ao Brasil, compareci a uma festa na casa de um ex-diretor de Finanças e Administração, até hoje meu amigo, onde estava também seu antecessor na mesma função – e que havia trocado a Bayer por outra empresa muito conhecida mundialmente. Foi um encontro revelador. Logo que me viu, comentou: "Parabéns, Theunis! Fiquei sabendo que você vai assumir a direção de

Finanças e Administração na Bayer S.A. Vai ser o 'nosso sucessor'".

Senti um toque de ironia em sua voz, que se confirmou com o comentário seguinte: "Acha que é um trabalho fácil? Você tem é muita sorte...".

"Sorte por quê?", eu quis saber.

O cara foi direto e sincero, levantando a taça de champanhe para um brinde: "Sorte por eu não estar mais na Bayer. Porque se eu estivesse, faria tudo para impedi-lo de assumir a função".

Sorvendo o champanhe num jardim maravilhoso, retribuí a ironia: "Por favor, satisfaça minha curiosidade: por que o senhor não gostaria de me ver no cargo?".

"Porque eu jamais entregaria a chave do cofre da Bayer para um brasileiro!" – Foi a resposta mais do que direta que ele me deu.

Mais uma vez deixei a prudência falar por mim. Ergui a taça de champanhe num brinde e respondi: "Nesse caso, que bom que o senhor não está mais na Bayer, não é?".

Confesso que me lembrei daquela situação ocorrida tantos anos antes, quando outro colega alemão me perguntou o que eu estava fazendo em seu país, se nem sequer sabia o significado da palavra *Grundlagen*.

Como você pode ver, a vida não cessava de ser uma corrida de obstáculos, mas dessa vez eu já estava mais calejado – e mais bem treinado. Simplesmente absorvi aquela ofensa como uma brincadeira de mau gosto e deixei a vida seguir.

Algumas pessoas poderiam xingar a mãe do infeliz ou, quem sabe, atirar o champanhe no rosto dele.

SONHAR ALTO, PENSAR GRANDE

Contudo, naquele instante, consegui pensar que aquele ex-executivo era só isso mesmo, um ex-executivo que representava o passado; enquanto eu, ao contrário, representava o futuro. Não era aquele cidadão, com sua ironia agressiva, que ia interferir na minha carreira profissional.

"Dica XII – Perdoe quem já o magoou. Você desocupará espaços para preenchê-los com coisas boas."

Na época, a Bayer movimentava um volume considerável de recursos financeiros – comprando, vendendo, investindo alguns milhões de dólares. Sobretudo no contexto de um país como o Brasil, era um imenso giro de dinheiro.

Logo percebi que meu grande desafio seria mostrar que sabia administrar todo aquele montante de maneira estritamente técnica – quer dizer, com transparência, competência e lisura.

Meu primeiro trabalho, que julguei prioritário, foi criar um sistema para qualificar todos os bancos aptos para as diversas operações financeiras da empresa como crédito agrícola, desconto de duplicatas, câmbio de moedas, *leasing*, administração do fundo de pensão etc. Com meu gerente financeiro, escolhi cinco para cada ramo, e criamos uma concorrência aberta diária e com hora marcada.

Abertas as cotações, só então fechávamos a operação: o banco vencedor recebia um fax e uma cópia era enviada a todos os outros cadastrados para aquela operação específica. Assim, cada "perdedor" sabia qual dos bancos tinha sido o selecionado para a operação e com quais condições. O objetivo de toda essa transparência era um só: deixar patente a

PASSAPORTE ALEMÃO OU UÍSQUE PARAGUAIO?

lisura de cada operação com a Bayer. Que vencesse sempre o melhor!

Tudo corria bem, até que precisei enfrentar um obstáculo com nosso fundo de pensão. Como todos os demais setores da empresa, o fundo também trabalhava com cinco bancos categorizados e um mesmo critério: o banco que apresentasse a pior rentabilidade no ano calendário era automaticamente eliminado, dando a vez ao próximo qualificado da "fila".

Eis que um belo dia o banco que teve o pior desempenho foi um grande banco privado brasileiro. Portanto, ele estava fora. Todos os bancos conheciam as regras do jogo, mas o *asset management* desse banco não se conformou, e um diretor muito gentil e simpático veio falar comigo.

Atendi-o com a devida gentileza, mas expliquei que as regras eram claras, valiam para todos e não haveria "jeitinho" possível. O banco teria de sair do negócio e ir para o último lugar da fila e esperar novamente sua vez de voltar a fazer parte do "grupo dos cinco".

O diretor não se conformou e pediu que um dos acionistas do banco entrasse na jogada para tentar me convencer a dar uma chance para eles.

Inicialmente simpático na reunião, ele sugeriu que poderíamos continuar trabalhando juntos, e garantiu que no ano seguinte as cotações melhorariam.

Repeti com ele o mesmo discurso e a mesma postura que mantivera com seu diretor: "Eu recebo o senhor aqui em meu escritório com prazer, mas regras prefixadas são re-

SONHAR ALTO, PENSAR GRANDE

gras prefixadas e a decisão já está tomada. Não posso abrir mão disso, sinto muito...".

Quando viu que não haveria abertura para o jeitinho, ele ficou transfigurado, com uma expressão que variava entre furioso, magoado e ofendido. Disse que a Bayer estava tentando humilhar seu banco, o que não era o caso. A decisão era estritamente técnica e transparente.

Contudo, ele não interpretou assim. Deu-me uma resposta nada profissional e bem pouco equilibrada: "Nesse caso, tudo bem. Felizmente o meu banco não precisa da Bayer. Passe bem, senhor Theunis!".

Alguns anos depois esse banco voltou para o fundo de pensão e, se não me engano, até hoje é um dos administradores.

A postura inicial do jovem banqueiro foi imatura e certamente impensada, mais comum em crianças mimadas: é claro que eles precisavam, sim, não só de uma, mas de várias Bayers para sobreviver.

Infelizmente, essa velha cultura está impregnada na alma brasileira: regras são ótimas, desde que sejam a meu favor. Parece pelada de meninos: "se eu perder, levo a bola para casa".

Na corrida das finanças, enfrentei ainda outros obstáculos.

Um belo dia, o presidente da Bayer S.A., em exercício, ou seja, meu chefe, me chamou em sua sala. Só pelo tom, já dava para sentir. "Aí tem coisa", pensei.

E tinha mesmo. Então veio o "papo", que começou assim: "Sabe, senhor Theunis, hoje eu estava no campo de golfe com o presidente do Banco Alemão Tal & Tal. Sabe o que ele me disse?".

Mantive-me atento e em silêncio. Então ele continuou: "Disse que o senhor é uma pessoa muito simpática... E também honesta... Mas disse também que desde que o senhor se tornou o diretor de finanças, seu banco não faz mais nenhum negócio conosco".

Os segundos de silêncio que se seguiram pareceram uma eternidade, até que ele me passasse "oficialmente" a palavra – o que fez, encarando-me de forma bastante reveladora: "O que o senhor tem a me dizer sobre isso?".

Respirei fundo e abri alas para que a prudência, mais uma vez, falasse por mim: "Senhor Presidente, como o senhor joga golfe e, portanto, encontra-se com ele com certa frequência, gostaria que me fizesse o favor de dizer-lhe que fico contente por ele achar-me simpático... E diga-lhe também que fico mais feliz ainda por me julgar honesto... Quanto ao motivo de seu banco não fazer mais negócios com a Bayer S.A. desde que estou nas finanças, é porque eles não ganham nenhuma de nossas concorrências abertas...".

Desta vez, o silêncio vinha do lado de lá da mesa. Então continuei: "Eles estão classificados para ser cotados em várias das nossas operações – acontece que eles não ganham nunca... E não creio que vai ser jogando golfe com o senhor que eles vão ganhar".

Meu presidente engoliu em seco: "Certo, certo... Mas acontece que somos todos compatriotas... Somos um grupo... E há interesses em jogo na Alemanha que podem exigir que façamos negócios com o banco aqui".

Mantive a calma e, disse-lhe: "Se é assim, temos duas soluções fáceis para regularizar isso: eu ligo para o nosso *head* de finanças na Alemanha e peço-lhes que me enviem uma informação expressa para que eu, daqui para a frente, aja assim ou o senhor envia uma carta para o nosso presidente mundial, com cópia para mim, confirmando que vamos agir de acordo com essa sua orientação. Seu amigo de golfe vai ficar muito agradecido".

O fato é que nunca recebi nenhuma ordem verbal ou escrita naquele sentido e o critério implantado continuou funcionando, pelo menos, enquanto eu estava lá.

Aqui resgato o terceiro dos quinze mandamentos do Capítulo 1:

"III – Aprenda a dizer não, sempre que necessário e na hora certa."

Num almoço de Natal, no final de 2013, encontrei-me com antigos colegas de trabalho e um deles, que também foi diretor de RH na Bayer S.A., relembrando fatos passados, comentou: "A gente morria de rir com aquela história dos presentes que enviavam e você mandava devolver. Cada presentão, e você não aceitava nenhum!".

Nos Estados Unidos é terminantemente proibido receber presentes corporativos em todos os níveis das organizações. Apenas canetinhas, chaveirinhos e algo do gênero. Do contrário, demissão por justa causa.

As pessoas adoram dizer que são honestas – mas só acredito em quem passou pelo "teste da honestidade": este, sim, tem o direito de afirmar que é honesto. Trata-se da famosa tentação do diabo – tema caro a grandes artistas, como o alemão Wolfgang Goethe ou o italiano Dante Alighieri. Esse é, aliás, e antes de mais nada, um tema bíblico, presente no episódio da tentação de Jesus Cristo, nos Evangelhos.

Mais um mineiro em Brasília

Em junho de 1996 – quando era o diretor de Finanças e Administração – minha secretária transferiu-me uma ligação dizendo que era de Brasília, do Palácio do Planalto.

Uma chamada telefônica do Palácio do Planalto? E ela insistiu: "Um secretário do Presidente da República quer falar com o senhor".

Só podia ser algum trote, mas não se deixa esperando na linha alguém do gabinete da presidência e, trote ou não, atendi. Do outro lado da linha, depois do breve bom-dia e da apresentação por telefone, veio o convite: "Aqui é do Palácio do Planalto, do gabinete do presidente Fernando Henrique Cardoso. O senhor está sendo convidado para um jantar, depois de amanhã, com o presidente da República".

Parecia algo surreal!

Eu solicitara o número do telefone com a intenção de confirmar a veracidade. Pois era verdadeiro!

Dois dias depois lá estava eu: mais um "mineiro" em Brasília, como em certos poemas de João Cabral de Melo Neto.

Pedi um táxi na recepção do hotel, mandaram-me um Fiat Uno já "bem rodado" e louco por uma ducha. Rumo ao

Alvorada. Quando, ao longo da vida, esperei um dia entrar no Palácio da Alvorada?

À medida que o táxi foi se aproximando da Praça dos Três Poderes, perguntei ao motorista se ele já havia feito uma corrida para lá. Ele disse: "Nunca. No começo achei que o senhor estava brincando comigo. Paramos na primeira cancela e os seguranças, rapidamente encontrando meu nome na lista de convidados, permitiram que o táxi seguisse e me deixasse ali, prestes a adentrar os corredores do poder!

Quando botei meus pés na rampa de acesso ao palácio, e comecei, vagarosamente, a subir, brotou em mim um sentimento difícil de explicar. Um misto de forte sentimento de patriotismo com imenso orgulho de ser brasileiro. Uma sensação indescritível e única! Pensei: "Que bom ter mantido minha nacionalidade e meu passaporte".

Enquanto subia lentamente a rampa, respirando o ar do Planalto Central, algo se passava em meu coração, fazendo-me oscilar entre humildade e grandeza daquele momento. Sem nenhum traço de exibicionismo, eu simplesmente pensava: "Sou um brasileiro que, dentro de instantes, vai cumprimentar, com um cordial aperto de mão, o presidente da República do seu país! Vou me sentar com ele, de igual para igual, numa mesa de jantar. Não sei que assuntos serão tratados durante esse encontro, mas uma coisa eu sei: não vou fazer nenhum *lobby* para minha empresa. Vou entrar aqui apenas como um brasileiro patriota, digno deste convite". Isso deu-me segurança e tranquilidade. Entrei pensando: estou pronto para o que der e vier.

PASSAPORTE ALEMÃO OU UÍSQUE PARAGUAIO?

(Não era exagero: mais uma vez em minha vida, eu sabia que estava sendo "tentado" – e "testado"...).

Como "mineiro não perde trem", é evidente que cheguei meia hora antes das oito – o horário marcado no convite. Logo vi o presidente da Siemens; o da Dupont; o da Souza Cruz, um de uma indústria têxtil brasileira, e um assessor do presidente. Não me lembro mais, quais eram os outros.

Logo chegou o presidente Fernando Henrique, quinze minutos mais cedo, cumprimentou-nos um a um e disse que acabara de participar de uma solenidade na capital.

Foi um dia muito importante na minha vida. Um momento que eu chamaria de simbólico: estar no Palácio da Alvorada para um jantar com o presidente do meu país. Não se tratava de uma recepção para mil pessoas. Era um *petit comité*, um jantar para apenas oito pessoas!

Na hora de sentar à mesa, como eu era o mais jovem, decidi ficar por último. A cadeira que sobrou para mim foi justamente a que ficava na frente do presidente – o que deu ao meu encontro com FHC certo ar de *"tête-à-tête"*.

Era tudo de bom gosto, mas sem ostentação: uma mesa com toalha branca, taças de cristal, pratos de porcelana branca, copos – tudo harmoniosamente arrumado e bonito, com o brasão da República. Nada com luxo excessivo.

Então, quando começou o delicioso jantar, o próprio presidente explicou o motivo daquele encontro: em determinadas ocasiões, costumava convidar alguns extratos da sociedade para ouvir opiniões – da forma mais simples e direta possível, sem nenhum filtro.

SONHAR ALTO, PENSAR GRANDE

A certa altura do nosso jantar, notei alguns convidados claramente fazendo *lobby* para suas empresas.

Fui um dos últimos a falar.

Quando chegou a minha vez, agradeci e dei-lhe os parabéns pelo modo como ele conduziu o jantar. Só então disse o que realmente pensava: "Existe moda para tudo, presidente... Moda para perfume, para roupas, para música etc. Mas também existe moda para países – e o Brasil, presidente, corre um grande risco de sair de moda. No exterior, quando estou em algumas reuniões de negócios, as pessoas falam de alguns países – e até da China (na época ainda não tão na moda, como hoje). Mas ninguém está falando do Brasil. Por isso, em minha opinião, o trabalho de colocar o Brasil na moda pode ser o grande trunfo que está em suas mãos, e que pode virar o jogo desta nação. Se o Brasil entrar em moda e estiver economicamente ajustado, os investimentos virão e com eles, desenvolvimento e lucros. Acho que essa é a sua grande tarefa, e o senhor está de parabéns por a estar executando".

O destino fez com que eu encontrasse o presidente Fernando Henrique.

Tem boi na linha

No anedotário criado em torno do *premier* inglês Winston Churchill, gosto especialmente daquela história que teria ocorrido em sua primeira visita à Casa Branca, durante a

Segunda Guerra Mundial. A Inglaterra andava por baixo depois das vitórias de Hitler em toda a Europa. Churchill, hospedado na Casa Branca, e o então presidente norte--americano, Franklin Roosevelt, conversavam horas a fio, madrugada a dentro. Depois de uma dessas sessões o presidente dos Estados Unidos lembrou-se de um assunto que tinha ficado inconcluso e se dirigiu, em sua cadeira de rodas, e sem avisar, até os aposentos do primeiro-ministro inglês.

Acontece que Churchill estava terminando o banho, quando o anfitrião entrou, e, às pressas, enrolou-se em uma toalha. Na correria, parece que o primeiro-ministro britânico tropeçou e de repente se viu nu em pelo diante do presidente dos Estados Unidos. Consta que Roosevelt ficou um tanto constrangido, mas não resistiu e soltou uma sonora gargalhada. O espirituoso Churchill, do alto do conhecido humor inglês, disparou: "Como o senhor mesmo pode ver, senhor presidente, a Inglaterra não tem nada a esconder!".

Não sei se o episódio é verdadeiro, mas o fato é que eu também tive o meu momento Churchill em 1997, quando era o presidente da Bayer Polímeros S.A.

Só como parênteses, informo ao leitor que a Bayer Polímeros era um negócio estratégico para a companhia após a aquisição da Central de Polímeros da Bahia (CPB) e, na sequência, de uma empresa na Argentina e de outra no Rio de Janeiro. Representava a entrada da Bayer – até então com atuação tímida no setor de polímeros na América do Sul – com força total no mercado de plásticos de engenharia.

Foi nesse contexto que passei pela experiência que relato a seguir.

Já há algum tempo, sempre que usava o telefone da minha sala, ouvia ruídos estranhos que, na maioria das vezes, chegavam até a atrapalhar a conversa.

"Tem boi na linha!", pensei comigo. E então, contratei uma empresa de segurança para fazer uma varredura que, cá entre nós, não era assim tão complicada de ser feita. Bastou os técnicos irem até a Central Telefônica da empresa, que ficava dentro sala da unidade de TI.

O laudo, que guardo até hoje, veio depressa e era curto e grosso: tinham instalado um aparelhinho eletrônico para grampear meu ramal! Pelo visto, alguém parecia muito interessado em acompanhar (e eventualmente gravar) as minhas conversas telefônicas.

Foi uma situação desagradável, sem dúvida. Felizmente, como a Inglaterra de Churchill eu também "estava nu" e não tinha nada a esconder. Quem pagou para grampear minha linha de telefone deve ter ficado frustrado. E esse é o ponto que quero reforçar aqui: a importância de ter a consciência tranquila, com a serenidade de quem nada teme porque nada deve, não tem preço.

Como havia encontrado o grampo, a empresa de segurança sugeriu que eu fizesse um rastreamento também no apartamento onde morava com minha família. Lá, não foi encontrado o aparelho de escuta, mas do lado de fora tinha uma fiação preparada e exposta para colocá-lo.

Desconfortos à parte, aquele episódio vinha coroar uma vida marcada pela lealdade à empresa. Ou melhor, pela lealdade a valores e princípios que sempre carreguei comigo como a melhor herança deixada por meu pai.

Se algum "orelhudo" queria "ouvir meus segredos ou fofocas", perdeu seu tempo.

A verdade é que a história morreu ali. Quando os técnicos da empresa de segurança me perguntaram se eu tinha alguma suspeita de quem era o "agente secreto" interessado em me grampear, disse-lhes: "Não faço a menor ideia. A certeza que tenho é de que não foi a instituição Bayer.

E agora, neste balanço da minha vida, reforço mais esta lição positiva para quem me lê: tenha sempre a consciência limpa – a consciência de quem se guia pelos princípios em que acredita. Agindo assim, por mais difícil que seja a situação – como esse desagradável episódio – o papel feio nunca será representado por você.

E, para isso, esteja certo, não precisa ser nenhum Churchill. Basta ser você mesmo.

O acarajé que salvou minha vida

Em maio de 1999, aos 47 anos, uma bomba explodiu ao meu lado: o diagnóstico de um câncer de próstata. Como isso pôde acontecer se nunca me descuidei?

Desde os 32 anos sempre passei por exames médicos completos: fazia e faço até hoje check-up anualmente no Hospital Oswaldo Cruz, em São Paulo. Nos anos em que vivi na Alemanha, todas as vezes que vinha de férias, passava pelos exames – e quando voltei a morar no Brasil definitivamente mantive os mesmos cuidados.

Contudo, eis que, em dezembro de 1998, o exame apontou um PSA (Antígeno Prostático Específico) de 4,1, quando o limite de normalidade é 4,0 O médico clínico-geral chegou a especular alguns motivos para aquele índice, mas, como a taxa estava no limite máximo – só um décimo acima –, enquanto o exame de toque retal não indicava nenhuma anomalia, o conselho foi ficar atento. No final de 1999, data do check-up seguinte, veríamos o comportamento do PSA.

Ainda assim, no meu consciente deixei registrado que um dos parâmetros daquele check-up estava no limite.

O ano de 1999 mal tinha começado – era março – e eu estava em Salvador a trabalho no Polo Petroquímico de Camaçari, onde ficava a fábrica da Bayer Polímeros, quando passei muito mal, tendo como causa provável a intoxicação pelo consumo de um acarajé, que estava muito gostoso, mas, aparentemente, com alguma bactéria que não deveria estar ali.

Acabei indo parar no Hospital Aliança. Logo o médico da Bayer Polímeros S.A. chegou de Camaçari para me ver e recomendou que, na manhã seguinte, assim que voltasse a São Paulo fizesse alguns exames de sangue para verificar as causas daquela infecção.

A questão é que quando a gente tem algum problema de saúde, sente-se mais frágil e a cabeça começa a funcionar para dentro do corpo. Claro que logo me lembrei de um fato bizarro: três meses antes, em dezembro 1998, eu tinha lido os cadernos completos e detalhados dos check-ups dos últimos três anos e reparado uma curva ascendente em relação aos exames de PSA, ainda que em níveis dentro da normalidade. Começava com 2,6 em 1996, 3,3 em 1997 e 4,1 em 1998. Dá para imaginar o tamanho da pulga que foi parar atrás da minha orelha, não é?

Em março de 1999, quando já de volta a São Paulo, colhendo sangue para acompanhar a tal infecção alimentar decorrente do acarajé, aproveitei e disse ao médico: "Doutor, como vou de novo ao vampiro, peça mais uma vez meu exame de PSA". Não deu outra: de 4,1 para 5.1 em apenas três meses!

Já pensou se eu tivesse deixado para verificar essa taxa só em dezembro? Tentei brincar com o médico para disfarçar o incômodo com a notícia: "Esta curva aqui só vai para morro acima, hein, doutor? Parece a Bolsa de Valores de Nova York".

Minha irmã Teresinha, médica do corpo clínico do Hospital Oswaldo Cruz em São Paulo – indicou-me três médicos, todos feras, e eu sequer escolhi um: marquei consulta com os três.

O resultado do toque retal voltava a indicar condições normais. Entretanto, com aquela curva ascendente do PSA, mais a pulga crescia atrás da minha orelha, aceitei o conselho de um deles, que solicitou uma ultrassonografia transretal para verificar a possibilidade de haver algum nódulo.

SONHAR ALTO, PENSAR GRANDE

E havia: media 3 mm por 6 mm. Embora pequenininho como um grão de arroz, acredite, essas coisas merecem ser examinadas de perto – de muito perto!

O fato é que lá estava ele, o minúsculo tumor que a biópsia diria se maligno ou benigno.

Para mim, restavam duas hipóteses: se fosse benigno eu abriria uma garrafa de Veuve Clicquot para celebrar. Se fosse maligno, daria para desativar aquela bomba, sem explosão? De qualquer maneira, já havia o consolo dos otimistas, porque é simplesmente raríssimo alguém diagnosticar um tumor de próstata desse tamanho.

O resultado da biópsia apontou um adenocarcinoma de sétimo grau, que pela Escala Gleason indicava ser um tumor de risco intermediário.

Não me canso de repetir que a todo momento você pode fazer descobertas ou aprender alguma coisa – mesmo nos piores momentos. Aquele era um deles. E, um dos aprendizados dizia respeito ao caráter das pessoas: por exemplo, quem pretende, de fato, ajudar e quem está mais preocupado em administrar sua vaidade.

Foi como se comportou um dos três médicos com quem me consultei – e com quem muito me decepcionei, e que, segundo as informações, era a sumidade no assunto.

Parecendo querer apenas se exibir, começou a enumerar possibilidades de tratamento: radioterapia externa; braquiterapia, tratamento ainda experimental (implante de pequenas sementes radioativas que tinham como objetivo destruir as células tumorais através de irradiação; ou, simplesmente fazer a cirurgia, com 90% de chances de ser bem-sucedida. E insistia naquele discurso: "Temos que avaliar o que o senhor prefere, ou seja, qual será a melhor solução para o seu caso".

Eu, de minha parte, já tinha tomado a decisão: não ia deixar aquele homem me operar! No fim das contas, se fizer alguma besteira comigo, não vai assumir seu erro e ainda vai acabar me responsabilizando – dizendo que eu preferi assim... Haja vaidade, foi o que ele me vendeu.

A bem da verdade, antes do "famoso professor", o primeiro dos três com quem me consultei também não me impressionou positivamente.

Finalmente cheguei ao terceiro médico, que imediatamente me inspirou confiança ao me oferecer informações que pareciam devidamente embasadas.

Para começo de conversa, informou-me quanto ao risco cirúrgico: estatisticamente, naquela época era de 30%. Ou seja, 70% das operações davam certo. Contudo, havia, ainda, outro "probleminha" e aqui o risco era na base do meio a meio, do *fifty-fifty*. Trocando em miúdos, metade dos homens que se submetiam à cirurgia ficava impotente!

No entanto, ele me tranquilizou com a seguinte observação: "Você é uma pessoa de baixo risco: é magro, é jovem e seu tumor é totalmente atípico para um homem de 48 anos! Além disso, é bem pequeno e não extrapolou a próstata, portanto, não havia invadido as glândulas seminais, porque aí o risco de metástase aumentaria consideravelmente".

Tudo somado, inclusive meu otimismo, o prognóstico me era favorável. E, sendo o caso suficientemente grave, decidi que a cirurgia deveria ser imediata.

SONHAR ALTO, PENSAR GRANDE

Era uma quarta-feira, mas como o médico era amigo da minha irmã, consegui agendar a operação já para o sábado.

Então, fiz um pacto com ele: "Doutor, se ocorrer algum erro médico, ou qualquer outra intercorrência imprevisível, qualquer que seja, quero a sua palavra, doutor, de que vai me informar com toda a franqueza e imediatamente após a cirurgia.

A cirurgia resultou numa prostatectomia radical, ou seja, extração total da próstata – para quem não sabia, é, sim, possível viver sem ela na mais perfeita normalidade física.

Tensão, angústia, suspense, mas com final feliz!

Em pouco tempo voltei à plena forma em todos os sentidos, se é que você me entende... E, claro, mantive o saudável hábito de me submeter, todos os anos, ao exame de PSA – que agora é baixíssimo. Já se passaram dezessete anos.

Não tendo histórico familiar de cânceres de próstata, nenhum problema de peso, nem consumo de gordura animal em excesso, parecia óbvio que não pertencia ao chamado "grupo clássico de risco", segundo pesquisas recentes sobre a doença. Portanto, no meu caso, sobra uma grande possibilidade de ter sido por estresse.

De qualquer modo, o episódio, ainda que totalmente superado, foi um marco em minha vida: a linha divisória entre viver e morrer. Foi o grande "assalto a mão armada" que eu vivenciei, com "risco de morte", disparado pelo destino. E do qual, no entanto e felizmente, saí ileso.

PASSAPORTE ALEMÃO OU UÍSQUE PARAGUAIO?

Sem dúvida, transformado. Basta conferir as datas: passei pela cirurgia em maio de 1999 e em dezembro de 2001 deixei a Bayer! Minha filosofia de vida mudou. Eu descobrira, afinal, um fato muito simples: "caía a ficha" de que sou mortal!

Hora da partida

Àquela altura, em termos profissionais, encontrava-me praticamente no auge da carreira.

Tinha chegado ao topo do meu Everest. Realizado um sonho. Já não é hora de descer? Para que ficar aqui? Minha vida tomou outros rumos.

Deixar a Bayer representou para mim a oportunidade de reavaliar minha vida e dar uma guinada na estrada que estava trilhando – talvez saindo da "autopista" e entrando numa estrada vicinal, trocando a alta velocidade, a pressa de chegar pelo "curtir a paisagem" da estrada, observar os detalhes. Significou, sobretudo, não parar, mas redimensionar meu futuro.

Uma das minhas primeiras preocupações foi: o que eu vou deixar como herança? Minha cabeça não estava se referindo à carreira na empresa nem a bens materiais, mas a algo mais íntimo e pessoal. Afinal, por mais que você se engaje numa vida inteira de trabalho, corporações são frias – e é inevitável que logo você se torne passado.

Meu melhor presente em relação à Bayer é encontrar ex-colegas dos mais variados níveis hierárquicos por aí e abraçá-los com um carinho mútuo.

SONHAR ALTO, PENSAR GRANDE

Rei morto, rei posto. Até porque, quando entrei na empresa, também não perguntei por meus antecessores nem antepassados. Quem entra nesse mundo vai ter de aprender a conviver com isso. Pessoas vaidosas, dependentes de fama e status sempre vão achar que sem aquele cartão de visitas, que até ontem valia mais do que sua carteira de identidade, perderam até o sobrenome, quando privadas dessas "glórias", como se seu nome verdadeiro fosse "Theunis da Bayer" e não Theunis G. Baronto Marinho. Vão sentir-se abandonadas e desamparadas. Considero essa atitude, além de falta de discernimento, uma ingratidão. Afinal, foi naquela empresa que você deu seu melhor e foi ali que você cresceu em todos os sentidos.

Não concordo com a cultura do "descarte empresarial" de hoje.

O grande perigo é que a vida desses jovens pode tornar-se um quebra-cabeça difícil de montar, em que as peças ou não se encaixam ou vão se perdendo pelo caminho. Será que isso é bom? Toda pessoa precisa da sensação de ter construído algo na vida – seja uma casa, seja uma família, seja sua carreira ou seu negócio. No entanto, alguns chegam ao final só com as cinco ou seis casas começadas – uma no alicerce; uma só com as paredes; outra com os encanamentos; ou só o piso; e até aquela que não tem nem o telhado. Se você juntar todas, não dá sequer uma inteiramente pronta.

É por isso que eu recomendo fortemente, hoje mais do que ao longo de toda a minha vida: procure sempre completar e fechar os círculos, tanto os menores como os maiores, para ter a prazerosa sensação da realização pessoal, do dever cumprido. A sensação de satisfação por uma obra acabada, finalizada, que o encoraje para novos desafios e novas etapas. Você se renova.

Sabia que existem pesquisas com crianças em supermercados das grandes cidades, em que a pergunta era: "O que é isto?". Todas responderam corretamente: "É leite!". Entretanto, quando perguntadas "De onde vem o leite", grande parte respondeu que vinha da "máquina", embalado numa caixinha – porque muitas crianças de hoje simplesmente não sabem que o leite vem da vaca.

A metáfora, infelizmente, serve também para outras ignorâncias em inúmeras outras áreas. Porque as pessoas não têm os círculos fechados. E eu me pergunto até que ponto isso será bom para nosso futuro.

Eu já tinha exercido algumas atividades voluntárias antes – quando se cruzaram com minhas atividades profissionais na Bayer, mas sempre tratei de ter outras, que mantenho até hoje.

Fui membro da comissão de negociações sindicais do Grupo Dez (Químicos) da Federação das Indústrias do Estado de São Paulo (Fiesp). Também fui membro da diretoria executiva do Sindicato das Indústrias Químicas e Petroquímicas do Estado de São Paulo (Sinproquim).

Quando comecei a redimensionar meu futuro, vivi uma experiência muito interessante como entrevistado, por uma hora, num programa de TV. Era ao vivo e tinha como principal característica ser completamente aberto aos comentários de quem estivesse assistindo ao programa. Impressionaram-me as perguntas que vinham de todo o Brasil e entravam no ar. De todas, porém, a que mais mexeu comigo foi a de um jovem telespectador de Niterói que me atirou a pergunta na bucha: "Como é a vida de Theunis Marinho sem o sobrenome Bayer?".

Era exatamente o que vinha mobilizando minha vida nos últimos meses!

A resposta tinha de sair na hora, ao vivo, "na bucha". Disse-lhe que a vida nos oferece vários picolés, mas em geral nos acostumamos tanto "àquele de sempre", que acabamos por nunca escolher outro diferente. Chamamos isso de "meu preferido", "o amor da minha vida", "sem ele não sou ninguém" etc. Um dia você descobre que não produzem mais o seu picolé preferido. E é aí que mora o segredo e a beleza da coisa: se você se dispuser a enfrentar a experiência de escolher entre os outros sabores disponíveis, vai ter a oportunidade de descobrir que é gostoso variar – há outros picolés igualmente maravilhosos, mas de outros sabores.

Minha vida, hoje, já não tem o picolé Bayer, o sabor de que tanto gostava, mas continua maravilhosa com os outros sabores que andei – e ando – provando com igual volúpia!

Depois da Bayer, fiz um ano sabático. Relaxei, realinhei minha vida e comecei a fazer, e a resgatar, uma série de outras coisas. E tudo isso, confesso, me fez muito bem.

Pude concluir um projeto iniciado em 1999, que identifiquei como uma espécie de legado, ao mesmo tempo amplo e familiar: estudar exatamente a minha família, a partir de uma árvore genealógica bem minuciosa. Visitei o exterior e consegui voltar no tempo até o século XVI, localizando meus ancestrais.

Desde então, comecei a organizar uma festa familiar a cada quatro anos com o objetivo de promover um reencontro entre familiares que a vida dispersou. Nessas festas comparecem mais de trezentos parentes, vindos de diversas regiões do nosso imenso país. Dentro do mesmo espírito, comprei e restaurei uma casa do início do século passado, para mim um "pequeno museu" que foi da irmã do meu avô paterno, em Alto Rio Doce – Minas Gerais, minha cidade natal. Ter estudado os vidros alemães das portas e janelas, as cremonas, castanhas e fechaduras inglesas, as louças francesas, as pinturas em "barrados" nas paredes, os móveis de loro português com marchetaria, tudo isso me levou a outro mundo da História, uma viagem ao passado da Tecnologia, das Artes, da Arquitetura e da história da minha família. Fiz um álbum de família, com fotos que se iniciam em 1882 com meus familiares. Que bom fazer tudo isso pelo simples prazer do fazer, do entender, do porquê, sem pensar em "quanto paguei, por quanto vou vender, quanto vou lucrar".

Tenho a convicção de que este era um legado que precisava deixar para a minha família, cuja história contei em parte deste livro e conto mais no anexo das páginas finais. Se você chegou até aqui, leia-os também e saiba um pouco mais do nosso Brasil.

Comecei tudo isso no final da minha carreira na Bayer, mas só quando saí definitivamente, tive o tempo necessário para me dedicar, de fato, ao que me era realmente caro.

SONHAR ALTO, PENSAR GRANDE

Passei a trabalhar em uma série de atividades, como coach e mentor para jovens CEOs, a participar de Conselhos de empresas e empreender na construção civil com obras próprias. A ideia foi devolver um pouco de tudo que a vida me deu, deixar um legado.

Na parte de trabalho voluntário, voltei a colaborar com a Associação Brasileira de Recursos Humanos de São Paulo (ABRH-SP), devolvendo minha gratidão para onde tudo começou: no RH, onde teve origem o meu DNA profissional.

Por detrás de cada uma dessas tarefas, está a ideia de me manter ativo intelectual e profissionalmente, mas também de fazer o bem e devolver uma parte de tudo o que a vida me deu de bom, com o propósito de deixar algo que possa ajudar as pessoas e inspirar o bem.

Contudo, talvez de todas as descobertas que fiz ao longo desta jornada uma bem importante, que me é de enorme valia, é que algumas pessoas nasceram para construir e outras para demolir. As duas podem ter sua utilidade, mas não me convoquem para demolir. Não sei fazer isso.

Lembro-me de quando a Bayer resolveu construir um parque industrial moderno em Belford Roxo, no estado do Rio de Janeiro. Quantas pessoas jovens e empreendedoras vieram da Alemanha, das universidades brasileiras, de todos os cantos do país, incluindo os operários mais simples, todos ali com apenas um objetivo: construir. Você sentia a energia no ar, 24 horas por dia. A cada dia havia uma pequena evolução. Quando decidiram demolir boa parte do que ali estava, pelo Brasil ter se tornado um país inviável, pela falta de custos competitivos e outras razões de mercado, convocaram a tropa de engenheiros e operários demolidores. Faziam isso com incrível perfeição e pontualmente no prazo. A grande comemoração era quando diziam: tudo destruído, missão cumprida. Hora de partir.

Sou incompetente para isso, sinto-me mais à vontade construindo um imóvel, conquistando um novo mercado, aumentando a capacidade de produção, elaborando uma nova política de recursos humanos, "plantando" uma árvore genealógica da minha família, ajudando um jovem executivo com coaching ou mentoria, sendo conselheiro de empresa, fazendo trabalho voluntário associativo, do que demolindo.

Antes de virar a página, deixo um último conselho aos mais jovens: procurem se conhecer e descobrir qual é exatamente o seu perfil. Se for um demolidor, não insista em tentar construir, porque não vai dar certo – não vai prestar, como se diz hoje.

No entanto, se você for um construtor, meu amigo, jamais aceite o *job* de destruir o que quer que seja. Porque isso lhe causará um mal irreparável. Você se sentirá violentado, fazendo um trabalho forçado, sob tortura.

Na nova fase da minha vida, logo me veio um insight. Entendi que deveria mergulhar em alguma atividade voluntária, guiando-me pela gratidão em relação ao meu passado.

Minha opção natural pela área de Recursos Humanos foi justamente pelo fato de minhas raízes profissionais terem começado a se desenvolver exatamente ali. Para fechar um ciclo, ou fazê-lo continuar se movendo de outra maneira, candidatei-me, por sugestão de amigos encorajadores, e fui eleito membro do Conselho Deliberativo da ABRH-SP. Um cargo eletivo e não remunerado, que me permitiu começar a retribuir tudo o que consegui. Por isso, ouso afirmar: se fui bem-sucedido na vida, foi porque comecei em RH. Depois fui eleito presidente do mesmo conselho e, posteriormente, presidente da mesma entidade. Que delícia poder experimentar esse novo sabor de picolé, com a missão principal de servir, fazendo o bem.

Outras pessoas escrevem outras histórias de sucesso, mas a minha é esta.

Da mesma forma, minhas atividades atualmente remuneradas são guiadas por algo bem além do dinheiro.

Quando trabalho como conselheiro de empresas familiares ou estrangeiras, meu prazer está sempre ligado a poder transmitir minha experiência. Com isso, posso ajudar jovens executivos – membros brilhantes de famílias brilhantes – a "chegarem lá", como eu cheguei.

Ensino a terceiros aquilo que sei – e isso, para mim, constitui uma forma permanente de reciclagem e aprendizado. Até o último suspiro, enquanto estivermos vivos devemos estar o tempo todo aprendendo alguma coisa e, se possível, passando experiência para outras pessoas, criando a nossa utilidade para este mundo. Sempre existe uma forma nova, outro ponto de vista, um ângulo desconhecido em tudo o que nos cerca. Procurar aprender é, de longe, o melhor caminho. Contudo, ainda que você não procure, o processo é concreto e permanente. Porque, afinal, queiramos ou não, a vida ensina sempre, nem que seja pelos caminhos mais árduos – "erro e acerto " ou "ensaio e tentativa".

Minha carreira de coach também segue objetivo semelhante: ajudar jovens executivos de alta performance a descobrir e explorar seus limites. Digo-lhes que sou um soldado que foi para a guerra. Ainda que possa ser frustrante uma pessoa querer ser mais do que consegue, nem por isso ela deve deixar de correr riscos para descobrir seus limites. A maioria não sabe disso e acaba por viver aquém das suas possibilidades ou se frustra ao ter de reconhecer, na derrota, que estava acima dos seus limites. É essa uma das essências da importância e da beleza – do trabalho de coaching e mentoring que, confesso, traz uma sensação muito boa.

E é com essa mesma perspectiva que, atualmente, venho atuando também como conselheiro no Grupo G3 RH, que congrega executivos de RH do mais alto nível, que se reúnem para somar e trocar experiências profissionais desde 1974. O nome se deve ao fato de ter sido o terceiro grupo informal de dirigentes de RH criado na cidade de São Paulo a partir dos anos 1960 – o primeiro foi o Grupo Diógenes, fundado em 1964, e o segundo, o Comitê de Relações Industriais (CRI), em 1967. No mesmo nível de qualidade existe também o GRH na região de Campinas.

Aprendo muito com aqueles jovens executivos. Eles acham que eu estou lá como conselheiro, mas, na verdade, estou ali também como aluno, sempre aprendendo mais do que ensinando. Para mim, essas atividades são um investimento contínuo cujos dividendos são pagos em ótimas amizades e contínuo crescimento pessoal.

Em 2013 fui convidado pela Câmara de Comércio Brasil-Alemanha, em São Paulo, para um seminário cujo tema era "A Internacionalização de Carreira. Como dar Certo?", voltado para empresas cuja política de RH é baseada em importar profissionais estrangeiros para atuar no Brasil e exportar brasileiros para atuar no exterior.

Minha palestra consistia em contar como foi minha carreira internacional. À medida que eu ia contando minha história, observando de cima do palco o olhar interessado das pessoas, ia fazendo, mais uma vez, um balanço da minha vida.

Por tudo que passei, a vida foi generosa comigo. Talvez por ter aprendido a levar as coisas, principalmente as mais difíceis, da maneira mais leve possível.

Os alemães têm um provérbio, que diz mais ou menos o seguinte: "Bom humor é quando, apesar de tudo, você consegue continuar rindo".

CAPÍTULO 13

O TERMÔMETRO DA FELICIDADE

SONHAR ALTO, PENSAR GRANDE

SE ALGUM DIA CRIAREM ALGUM tipo de termômetro para medir a felicidade, será possível confirmar algo que sempre intuí: ela está, de fato, nas pequenas coisas, não nas grandes. Quantas famílias de destaque na mídia internacional são claramente infelizes e abrigam numerosas tragédias! Um bom exemplo disso é a família Kennedy, com sua sucessão de dramas históricos. Outro caso triste é o de Michael Jackson com sua morte, além de trágica, humilhante. A lista é enorme, incluindo casos brasileiros.

A necessidade humana de ser feliz já fez com que cientistas e pesquisadores criasse um remédio chamado "a pílula da felicidade", mas, tenho a certeza de que felicidade, realmente, é outra coisa.

Usufruí de tudo o que representa o luxo e ostenta riqueza e poder. Já estive em ilhas particulares, já naveguei pelo mar Egeu, na Grécia, num iate com quatro deques e oito suítes. Já me hospedei em castelos e no Copacabana Palace, no andar das celebridades. Já assisti ao carnaval no Rio em camarotes exclusivos, voava de primeira classe e em várias vezes de jatinho, helicóptero. Minha festa de 25 anos na corporação Bayer foi no Hotel Adlon de Berlim, com a janela do salão de festas virada para a porta de Brandemburgo. Enfim, a lista é enorme, conheci e vivi vários símbolos do lado glamouroso da vida. Entretanto, um dia me flagrei na boca de um fogão a lenha, na cozinha da casa do Juca Mário e da dona Tilinha, um dos encarregados da obra da restauração da minha casa em Alto Rio Doce, assistindo à maneira caprichosa com que sua mulher preparava um suã de porco – a parte inferior do lombo do porco, que depois saboreamos ao redor da mesa simples, acompanhada da couve verdinha e do arroz com o feijão preto fumegante e, claro uma cachaça. Se eu tivesse ali comigo o tal do "termômetro da felicidade", aposto que ele marcaria uma temperatura bem elevada.

Em outra ocasião, fui portador de um bilhete que minha mãe escrevera para a irmã dela, tia Enyd, que vive em Minas. Assim que o entreguei, ela começou a ler, ali mesmo, na minha frente, e vi que as lágrimas corriam em seu rosto.

"Nossa, tia! O que aconteceu?", perguntei curioso.

Ela me estendeu o bilhete da irmã, que dizia, em poucas palavras, mais ou menos o que reproduzo aqui:

Minha irmã Enyd, que saudade de você! Queria estar no lugar desta carta, sentada à mesa da cozinha, ao seu lado, tomando um cafezinho ralo com biscoitinho de polvilho e recordando a nossa infância, a nossa vida. Eu seria a pessoa mais feliz do mundo.

Na hora, pensei: "Que momento de felicidade teria sido esse para a minha mãe! Para as duas irmãs!".

Definitivamente, a felicidade está nas pequenas coisas. Sinto-me à vontade para dizer isso depois de ter vivido os dois extremos e ter comprovado que os momentos de profunda felicidade são aqueles que ocorrem na companhia das pessoas que você gosta, que você ama, desfrutando de coisas simples. Creio que em momentos assim a circulação

SONHAR ALTO, PENSAR GRANDE

sanguínea irriga nosso cérebro para produzir sensações de intenso prazer – e não necessariamente nas situações que envolvem dinheiro, poder e coisas materiais.

Quem não assimilou isso, não faz a menor ideia do que realmente é ser feliz.

Uma forma de felicidade, ao alcance de todos, é a família estruturada em harmonia, no sentido mais amplo da palavra.

Do mais pobre ao mais humilde, da Europa ao interior da América Latina, a felicidade é um bem, um sentimento, ao alcance de toda a humanidade. Todo mundo pode tê-la à sua disposição. Como cantava o compositor baiano Dorival Caymmi: "pobre de quem acredita na glória e no dinheiro para ser feliz..."

CAPÍTULO 14

O SUCESSO NÃO TEM CULPADOS

SONHAR ALTO, PENSAR GRANDE

REPARE SÓ: SEMPRE QUE ALGUMA coisa não dá certo, imediatamente as pessoas começam a procurar um culpado. Até nas situações mais corriqueiras: "Cheguei tarde porque o ônibus atrasou"; "Perdemos o jogo porque o juiz roubou"; "O cliente desistiu porque a concorrência jogou sujo"... Na verdade, ninguém quer assumir: "Eu errei. Eu sou o culpado".

É que essa é uma frase – ou uma confissão – difícil de ser proferida.

Com o sucesso acontece exatamente o contrário: todos procuram assumir para si os méritos da vitória. "Eu fiz!" "Eu consegui"! Eu ganhei ou, como se atribui ao general romano Júlio César, já em 47 a.C.: "Vim, vi, venci!". Ninguém diz: "Vim, vi, perdi" ou "Vim, vi, fugi".

Por isso costumo dizer que o sucesso não tem culpados – só heróis. Não por acaso, o filósofo alemão Friedrich Nietzsche, um grande frasista, gostava de repetir que "o sucesso tem sido sempre um grande mentiroso". Na política, os exemplos se proliferam na maior cara de pau.

Qualquer situação envolve muitos fatores – entre eles a sorte e o acaso. Contudo, cuidado: com estes você não deve contar. Essa foi outra lição que aprendi desde muito cedo – mais precisamente aos 8 anos.

Em 1958, eu morava em Socorro (SP), onde em todo mês de agosto há a festa em homenagem à padroeira da cidade, Nossa Senhora do Perpétuo Socorro. Na quermesse, com direito a banda de música, havia barraquinhas de comida e, uma das mais disputadas era justamente a das bonecas –

O SUCESSO NÃO TEM CULPADOS

todas lindas – feitas pelas senhoras da cidade. Minha irmã ficou louca por uma delas, tipo princesa, e queria porque queria que meu pai a comprasse para ela. Como explicar para uma criança que as bonecas não estavam à venda? Ela queria aquela boneca!

Paciente e generoso, meu pai bem que tentou driblar a sorte. Quando descobriu que só um dos números daquela rifa havia sido vendido, combinou com os amigos que então eles comprariam os outros 49...

O plano foi posto em prática, mas, acredite se quiser: nem assim minha irmã levou a boneca. Ela saiu justamente para o comprador daquele mísero único número, o primeiro a ser vendido, que não era "nosso". Imagine a decepção da minha irmãzinha: chorou como se tivesse acontecido uma tragédia. Eu, que só assistia, fiquei impressionadíssimo com aquilo: como era possível ter 49 números de uma rifa de cinquenta e, mesmo assim, o prêmio lhe escapar? Não parecia garantido que meu pai ganharia? Isso é que era azar!

E eu guardei mais uma lição, que ao longo dos anos tratei de metabolizar: só existe o azar para quem acredita demasiadamente na sorte!

Eis aí uma lição indispensável para quem quer escalar o Everest Corporativo. Como afirma um ditado alemão, que vou adaptar para o português, "você é o ferreiro da sua própria sorte". Sábias palavras: cada um deve formatar a própria vida, malhando o próprio "ferro" e quando ele está em brasa. Porque só existem duas maneiras de provocar a mudança: decidir o que fazer ou esperar acontecer.

SONHAR ALTO, PENSAR GRANDE

Uma coisa, porém, é certa: as melhores mudanças, as que trazem mais satisfação, são aquelas que têm você no comando!

Felicidade e sucesso são sinônimos?

Mais bem formulada, a questão poderia ser colocada assim: Você precisa do segundo para alcançar a primeira?

De uma forma ou de outra, vejo sempre essa pergunta nos olhos dos jovens a quem venho falando em minhas palestras.

Costumo responder, sinceramente, que sim. E, sinceramente também, que não.

De um lado, ser feliz não é necessariamente fazer uma carreira bem-sucedida. Para algumas pessoas, felicidade é fazer o bem para uma comunidade; é ser boa mãe ou bom pai; é abrir mão de um bom emprego para cuidar de um bebê recém-nascido. Em contrapartida, não há como negar que o sucesso tem uma dimensão imaterial, intangível, que faz com que às vezes se confunda, sim, com felicidade.

Sem dúvida, hoje o horizonte das pessoas é muito mais amplo, e os propósitos e objetivos a serem alcançados, bem mais variados. Mesmo assim, creio que sempre existirá na humanidade a enorme ambição de TER – e não apenas o desejo de SER. Contudo, isso não representa um mal em si.

Querer possuir bens materiais, que garantam mais conforto, saúde e segurança, é um desejo legítimo. Muitos dirão que isso é puro materialismo. Acontece que a dimensão material faz parte do jogo.

O que seria de nós, por exemplo, se não houvesse empresas que fabricam e vendem tomógrafos – e ganham muito dinheiro com isso? O que seria de nós sem as indústrias farmacêutica e diagnóstica de alta tecnologia, que desenvolvem soluções e medicamentos para a cura ou para o controle de tantas enfermidades, prolongando nossa vida com mais qualidade e menos sofrimento?

Andar mais rápido, ter opções de equipamentos e roupas para se proteger do frio, dispor de eletrodomésticos que facilitam o trabalho doméstico, veículos de transporte cada vez mais rápidos e seguros – tudo isso são desejos materiais. No entanto, apesar de custarem dinheiro, não devem, necessariamente, ser demonizados. São conquistas da civilização e as merecemos. A alternativa para esses bens? Morar na Amazônia, entre tribos indígenas, sem medicamentos contra a malária, por exemplo.

Como diz a sabedoria popular, a virtude não está nos extremos. Ela está no meio.

O jovem que está entrando no mercado de trabalho e começando a construir sua carreira tem a seu alcance os mais variados níveis de ambição. Ele pode chegar ao ponto de só desejar um pequeno apartamento de 30 metros quadrados – e viver nele com a certeza de que se um dia ficar desempregado não precisará morar de favor na casa de ninguém. Outro pode preferir estudar idiomas, seja para viajar pelo mundo, seja para navegar fluentemente na internet. Cada um deve fazer suas escolhas de acordo com o tamanho da própria ambição e aptidão.

Em países como o Brasil as coisas são um pouco mais difíceis. Para você avançar, os impedimentos são inúmeros.

SONHAR ALTO, PENSAR GRANDE

Para começar, a escola não é de acesso universal. Lamentavelmente, os mais ricos têm mais oportunidades que os mais pobres, ao passo que o ideal seria que todos tivessem as mesmas oportunidades. A criança que nasce numa comunidade pobre, não importa se inteligente ou superdotada, sempre terá muito mais dificuldade de avançar na vida do que aquele subdotado que nasceu em berço de ouro. Porque as chances de o pobre sucumbir prisioneiro das necessidades mais básicas acabarão por falar mais alto. Imaginem, do ponto de vista macroeconômico, quanto se perde de inteligência no país.

Os modelos de sucesso e de felicidade variam de pessoa para pessoa e, claro, não é todo mundo que deseja, ou precisa, tornar-se o presidente de uma empresa. A verdade, porém, é que a ambição é o grande combustível da humanidade: é o que faz com que ela siga, permanentemente, em frente. Reconheço que isso também poderá ser usado para o mal.

EPÍLOGO

MANUAL DE SOBREVIVÊNCIA CORPORATIVA

Diga não, se for preciso

Antes de tudo, aprenda a dizer não. Este é um ponto essencial. Quantas pessoas dizem sim, mas não cumprem o combinado – e ainda ficam magoadas porque não tiveram coragem suficiente para a recusa. É importante estabelecer limites, inclusive em relação a seus superiores. Para alcançar o sucesso, é decisivo ter um espaço para si. Lembre-se: a fronteira do homem com o mundo inclui a capacidade de dizer não.

Descubra suas qualidades

Faça uma reflexão profunda. Tente descobrir, real e sinceramente, quais são as suas qualidades. Todas as pessoas as têm – e certamente são elas que conduzem ao sucesso. Como na história do meu amigo Rudinho, eu não podia superá-lo na beleza, mas me apoiei nas aptidões que eu tinha. Então descubra suas qualidades e faça disso o seu diferencial. Fazendo analogia com o futebol, se você não tiver aptidão para centroavante, talvez possa ser um bom goleiro ou zagueiro ou ainda um meio-campista. Lembre-se: no time corporativo há muitas posições disponíveis e necessárias. Descubra qual é a sua.

Mantenha distância dos negativistas

Evite relacionamentos ou convivências destrutivas. Os negativistas só querem nos arrastar para baixo, destruir nossa autoconfiança, solapar nossa força. Isso vale tanto para a namorada quanto para o colega de trabalho ou o amigo: se o convívio for obrigatório ou inevitável, limite-se a um "bom-dia" ou um "obrigado". Seja apenas o "suficiente" com ele.

Posso, farei, mudo o mundo

Tenha pensamentos positivos. O pensamento positivo, aliado ao preparo e ao bom condicionamento, é o início da vitória. É assim que se começa. Pensando sempre: "posso; farei; vou mudar o mundo. Tenho ideias novas. Quero e tenho capacidade para crescer. Sou capaz e posso mais". Pensar sempre para cima. Pensar para "baixo" leva para o fundo – é o início da derrota.

Voltando aos Quinze Mandamentos

I – Sonhe alto e faça planos desafiadores para o futuro. *Lembre-se: Nossos olhos não ficam na nuca.*

No entanto, principalmente, procure executar seus planos. Não espere a sorte. *Quantas pessoas são brilhantes em seus sonhos, mas incapazes de realizá-los? Pessoas que aparentam se esforçar, mas jamais alcançam empreender nada. Sonhe à vontade, mas, sobretudo, planeje e faça acontecer!*

II – Não delegue seu destino a terceiros. *Você é "o cara". Ouvir opiniões dos seus mentores é muito bom, conversar com pessoas da sua confiança, sempre ajuda, mas* não confunda: *você é o senhor do seu destino. Na essência ele é construído por você, "tijolo por tijolo".*

III – Aprenda a dizer não, sempre que necessário e na hora certa. *Explique as razões do seu NÃO.*

IV – Não cultive relacionamentos destrutivos. Eles são epidêmicos.

Procure cercar-se de pessoas otimistas, que queiram ganhar, seja o seu chefe, seus pares, sejam seus liderados. Isso, somado com princípios éticos, vira uma máquina de sucesso.

V – Discipline-se com pensamentos positivos. A vida fica mais suave.

Desenvolva a capacidade e o dom de agregar, atrair e influenciar pessoas para o bem. Em suma, faça a diferença, demonstre sua importância contributiva para o grupo, sempre com lealdade e propósito.

VI – Reflita sobre as consequências dos seus atos, antes de colocá-los em prática.

Seu maior juiz é a sua consciência. Ela o absolve ou o condena.

VII – Cultive suas amizades, mesmo que sejam passageiras.

Elas são trocas importantes no período de suas existências e deixarão saudade. Se um dia voltar a vê-las, o abraço será apertado. Afinal, embora hoje distanciadas, foram importantes para você naquela época. E, certamente, você também para elas.

VIII – Aprenda com seus erros. Eles são ótimos professores.

Não se deixe, porém, imobilizar pelos erros. Lembre-se de que desde o momento em que acorda você já está cometendo erros. Antes de tudo, procure se perdoar, mas se for um erro que afetou ou fez mal a alguém, tenha a humildade e a coragem de admitir, de assumir, de repará-lo, de se desculpar. Conseguir enxergar os próprios erros é uma atitude grandiosa. Portanto, sempre que errar, seja o primeiro a dizer: "Epa, pisei na bola, foi mal! Desculpe-me".

IX – Não sofra por antecipação.

E, se na hora "H", der problema ou perder, analise o porquê. Metabolize suas derrotas e vá em frente. *Amanhã será outro dia...*

Ao longo da vida, todos sofremos derrotas – sejam elas físicas, intelectuais, amorosas, profissionais etc.

X – Não apague seu passado. Ele é seu alicerce mais profundo. Negá-lo é tornar-se um "indivíduo falsificado".

A importância do sucesso mede-se não apenas por "onde você chegou", mas também "de onde você partiu".

XI – Não adie as soluções para seus problemas. Resolva-os respeitando o tempo e todos os envolvidos.

Cuide de você mesmo. Nunca delegue à família, à namorada, à esposa, aos amigos, aos chefes ou ao Estado a tarefa de solucionar seus problemas. Porque quando atribui a outrem esse cuidado, você está transferindo um poder que é seu. Coloque-se, sempre, em primeiro plano.

XII – Perdoe quem já o magoou. Você desocupará espaços para preenchê-los com coisas boas.

Você também ganha, quando perdoa.

XIII – Estude sempre.

Se estiver preparado, o medo inicial lhe dará mais foco do que pânico. A autoconfiança aumentará sua vontade de ganhar. É assim, desde a idade da pedra.

Uma das coisas mais difíceis que existem é resolver problemas – desde os tempos das aulas de Matemática, lembra? Portanto, quanto mais você os adia, maiores eles se tornam – e, consequentemente, mais insolúveis eles parecem. Então, trate de resolvê-los quanto antes. No entanto, se não puder resolvê-los, arranje uma solução para eles – o que é diferente de resolver. Por exemplo, apresse-se em tirá-los da sua frente. "O que não tem solução, solucionado está".

XIV – Errar é inevitável.

Quem trabalha, quem estuda, quem realiza, quem se posiciona, quem toma decisões, pode errar. Aprenda com seus erros. Evite repeti-los.

XV – Saiba perdoar.
Os verdadeiros campeões crescem após as derrotas.

MÃOS À OBRA E PÉS NA ESTRADA, PORQUE O TOPO DO EVEREST CORPORATIVO ESTÁ LÁ EM CIMA À SUA ESPERA.

UM POUCO MAIS DE HISTÓRIA

TODOS CORRIAM À CASA DO avô para o dia do pega-pega. Era uma disputa, uma aventura que premiava os mais espertos ou ágeis. Sentado na cadeira austríaca de balanço na sala, o rico Sebastião Lopes de Freitas, vovô Tião, esperava a meninada chegar ao final da tarde e então, uma a uma, jogava para o ar as "pratinhas de 500 réis". A decepção era quando uma das moedas encontrava uma fresta entre as tábuas do assoalho e desaparecia no porão. O velho divertia-se com as caras desapontadas dos netos e exclamava, "não faz mal, aí vai outra". E assim as moedas subiam, caíam nas frinchas ou nos bolsos das crianças. "Essa, agora, é de ouro. É para guardar". A frustação dos mais corajosos é que não podiam ir ao porão fazer a limpa no "tesouro abandonado", pois lá havia escorpiões e, quem sabe, outros bichos. Na sala, assistindo a tudo, ficava sempre um casal de jabutis, presente de um amigo da capital, Rio de Janeiro.

UM POUCO MAIS DE HISTÓRIA

Meu bisavô paterno foi uma figura singular e emblemática na família. Nascido em 1853, viveu 85 anos, longevidade incrível para época. O pai dele, Francisco Lopes Pena, era descendente de bandeirantes. Contudo, por razões de um novo tempo, e temendo que seus descendentes fossem estigmatizados, ele teve permissão da Coroa para mudar o nome dos descendentes. Afinal, a ligação direta com um caçador de ouro e pedras preciosas, que escravizava índios e negros africanos tinha de ser enterrada. Nascido em Minas, região de Sabará, passou a vida em Tabuleiro do Pomba, arraial de Rio Pomba, próximo de Juiz de Fora. Homem rico, comerciante de pedras preciosas, joias, ouro e armas, era dono das casas de uma rua inteira no arraial, todas alugadas. Os netos dele, entre eles meu pai, iam à sua casa para disputar "pratinhas de ouro". Aos 45 anos, tornou-se Capitão Comandante da Guarda Nacional, o que significava ser o "coronel daquela região", um braço de confiança e defesa do presidente da República, Prudente de Moraes, com o dever de impor e manter a ordem. Tinha autorização para andar armado e, como se dizia, "mandava prender e mandava soltar", tinha poder de vida e morte sobre as pessoas. Consta que o coronel Tião nunca precisou mandar matar ninguém.

Numa das fotos de família podemos vê-lo em dois momentos. Elegante ao lado de minha bisavó, a "mãe Cota". E imponente, à frente de sua tropa, armado, montado em um belo cavalo, exalando total autoridade. Era assim que a ordem e o respeito ao poder se impunham Brasil afora, naquele começo de República. Décadas mais tarde, minhas disputas foram outras no mercado de trabalho. Os tempos são diferentes: vencer e se destacar. Até a competição mais acirrada ganhou tons mais "civilizados", embora muitos ainda achem que tudo é uma questão de ser o "mais rápido no gatilho".

Meu bisavô Sebastião teve apenas duas filhas, Alayde e Anália Júlio de Freitas, nascidas em 1890 e 1893. A primeira viria a ser minha avó. Zeloso em procurar bons partidos para as filhas, certa feita viajou a Ouro Preto, onde, além de amigos, existia também a Escola de Farmácia de Ouro Preto, fundada em 1839, época em que o país passava por transformações com a vinda da corte portuguesa para o Brasil e a transferência da capital do reino de Portugal e Algarves para o Rio de janeiro. Lá conheceu o jovem doutor, recém-formado, Antônio da Motta Marinho, o Tonico, filho de fazendeiro português e nascido em 1882 em Alto Rio Doce, em Minas Gerais, que na época ainda se chamava São José do Xopotó e fazia parte da Comarca de Piranga. Ofertou-lhe a abertura de uma farmácia em Tabuleiro do Pomba, tudo por sua conta. É muito provável que na sua oferta estava ocultada também a esperança de ter encontrado um "bom partido" para a sua filha mais velha. O plano deu certo. Tonico formou-se em 1907 e, no dia 15 de maio de 1915, aos 33 anos, casou-se com Alayde, então com 25 anos. O pai de Tonico, meu bisavô José Joaquim Marinho da Cunha, nascido em 1850 em Santo Estevão de Regadas, hoje Regadas, em Portugal, cidade próxima a Fafe, era filho do fazendeiro José Marinho da Cunha. Naquela época, em razão das desavenças políticas entre monarquistas e republicanos portugueses, que não eram resolvidas apenas no debate, mas também com violência, o pai republicano preocupado com o futuro e a segurança dos filhos, decidiu mandar o mais velho, Antônio Marinho da Cunha, com 18 anos, e meu bisavô, José Joaquim Marinho da Cunha, então com 14 anos, para o Brasil. Partiram de Regadas e desembarcaram do navio no Rio de Janeiro com libras esterlinas suficientes para um bom início. Na época, o Brasil estava encerrando o ciclo do ouro de aluvião nas Minas Gerais, mas por lá também havia terras férteis na região conhecida por "Zona da Mata". Aos 19 anos, José comprou a Fazenda do Contrato, em Alto Rio Doce e, aos 21 anos, em 1871, casou-se com Maria Angélica da Motta Couto na sua fazenda, com licença de altar. Tiveram dez filhos, o quinto foi meu avô Antônio da Motta Marinho, o Tonico.

O raio destruidor

Meus avós, Tonico e Alayde, que estudou num internato de freiras francesas em Rio Pomba, tiveram treze filhos nos 23 anos de casamento. Eram uma família perfeita com uma "escadinha de filhos", até que um "raio caiu", dando início a uma explosão devastadora. No dia 12 de março de 1931, à 00h40, meu avô Tonico morreu, vítima de uma "primitiva nefrite crônica e secundária hemorragia cerebral", conforme o atestado de óbito. No seu leito, fizeram-lhe uma sangria na veia do braço, mas ele não resistiu e deixou uma viúva, despreparada para a dura vida que rapidamente se instalaria, com treze filhos, a mais velha com 22 anos e a mais nova com 3 meses. As duas filhas mais velhas, Maria e

SONHAR ALTO, PENSAR GRANDE

Maria de Lourdes, já eram normalistas, o mais alto estudo superior que uma mulher podia almejar no Brasil daquela época. O segundo homem da casa, o filho mais velho, José, tinha apenas 16 anos. O velho sogro de Tonico, Sebastião Lopes de Freitas estava com 78 anos e, para a época, já era um ancião com a saúde "mais pra lá do que pra cá". A partir dali, a devastação começou. A viúva Alayde, sem o marido e seu pai mais precisando de ajuda do que podendo ajudar, não tinha preparo nem condições psicológicas para segurar aquela barra e jogou a toalha. No salve-se quem puder, com a mãe desorientada, os filhos mais velhos, Maria, José, Maria de Lourdes e Hélvio, com auxílio de parentes mudaram-se de Tabuleiro do Pomba para Alto Rio Doce e com ajuda dos irmãos do falecido pai foram trabalhar, elas como professoras e eles como funcionários da prefeitura. Os outros nove filhos, com idades entre 4 meses e 14 anos, ficaram em Tabuleiro do Pomba. A certa altura, o marido da filha Maria de Lourdes viajando pela região resolveu desviar o caminho e dar uma passada em Tabuleiro para ver como andava a vida da sogra Alayde e dos nove cunhadinhos. Boa parte do trajeto era feita a cavalo. Quando lá chegou encontrou-os sob os cuidados da leal empregada negra chamada Isabel, filha de escravos, cujo nome era uma homenagem à princesa, bisneta de D. João VI, que havia assinado em 13 de maio de 1888 a Lei Áurea no Brasil, que libertou os escravos. Ao chegar, encontrou apenas Isabel e as crianças na casa. Pediu-lhe um café para reanimar o corpo após a longa e cansativa viagem e a resposta veio com lágrimas: "Ah, senhor Wilson, não temos nem comida direito, quanto mais um café.

UM POUCO MAIS DE HISTÓRIA

Só temos uma sobra de leite. Dona Alayde está viajando com as primas solteiras para Rio Pomba, que sempre dizem que ela precisa aproveitar a vida, pois até agora só pôs filhos no mundo. A conta no armazém está vencida e Dona Alayde não deixou autorização para eu comprar fiado".

Wilson foi ao armazém, pagou a conta, fez uma compra de alimentos e, claro, incluiu também o pó de café e voltou para a Isabel, que desabou em mais lágrimas, e foi correndo para o fogão à lenha fazer "a janta". Os nove meninos foram se aproximando da cozinha e, em seguida, encheram os pratos. Wilson e Isabel jantaram e choraram juntos. Ele deixou um dinheirinho com ela, voltou ao armazém e disse ao proprietário: "Em breve eu voltarei e quero pedir-lhe que, se possível, deixe a caderneta sempre aberta, que se necessário eu pagarei quando voltar. Meu pai contava que, com 9 anos ficava pensando: Como posso ganhar dinheiro? Como posso ganhar dinheiro? Teve uma "grande ideia" e passou a cometer o que hoje seria um crime ambiental: ir para a zona rural pegar filhotes de canarinhos nos ninhos e vendê--los na cidade. Ficava orgulhoso por conseguir comprar pelo menos o polvilho para Isabel fazer biscoitos. Todavia, num curto tempo desistiu, pois dizia que sofria muito ao ver a passarinha mãe vir sobrevoando atrás dele e cantando de maneira diferente. Ele tinha certeza de que ela estava implorando pelo seu filhote e, rapidamente, ele se lembrava da perda do pai, que tanto lhe protegia, enquanto vivo. Abandonou o primeiro novo negócio rapidamente.

"Não é possível deixar aquelas crianças nas condições em que as encontrei em Tabuleiro. É simplesmente inaceitável!", disse Wilson à esposa Maria de Lourdes, a Lulude, ao voltar para Alto Rio Doce. "Dona Alayde simplesmente não dá conta de cuidar delas", ponderou.

Convencido pela situação que testemunhara em Tabuleiro e ciente do grande coração de Lulude, ficou decidido: "Vamos trazer todos para Alto Rio Doce, inclusive a sogra".

Assim foi feito. Aos poucos todos foram chegando, incluindo duas viúvas, a do Tonico e a do jabuti, que ao fugir de casa numa noite, foi "assassinado" com uma machadada por um caboclo que, por desconhecer aquele bicho estranho, preferiu atacá-lo. A jabuti teve sorte e sobreviveu a uma machada, que lhe deixou uma enorme cicatriz, que levou para o resto da vida. Alayde conseguiu comprar uma casa com o que sobrou do dinheiro depois da morte de meu avô, Tonico, apesar das gastanças iniciais da viúva inexperiente.

Meu pai teve o privilégio de ir viver na casa da irmã Lulude e do cunhado Wilson. E anos depois, quando já bem idoso, não cansava de repetir: "Vivi a época mais feliz de minha juventude. Wilson nos salvou e a Lulude foi a minha verdadeira mãe".

Graças ao novo lar foi matriculado no Grupo Escolar Raul Soares, em Alto Rio Doce, e logo conseguiu uma vaga como interno na Escola Agrícola de Barbacena – onde tinha cama, comida, uniforme, estudo e até chuveiro, embora frio, mas nenhum tostão no bolso. O acordo com um colega de classe, guloso e gordinho, filho de um fazendeiro, resolveu a situação: vendia-lhe, todos os dias, a sobremesa a que tinha direito. Com o dinheiro podia cortar o cabelo uma vez por mês e ainda sobrava para comprar um sabonete e o gel para o penteado. A escola fornecia escova e graxa para o único par de sapatos, e foi lá que aprendeu rudimentos de costura, a pregar botões e a lavar e passar a própria roupa.

A cidade de Barbacena tinha muitas moças bonitas, de maneira que andar bem arrumado, bonito e cheiroso não era apenas questão de vaidade; era, principalmente, ser notado pelas meninas, inclusive pelas filhas de fazendeiros de Alto Rio Doce, que cursavam o Normal no Colégio Imaculada Conceição. E o melhor programa na época era esperar ansioso pelo dia de folga na Escola Agrícola para poder acompanhar as garotas, na saída da missa de domingo, até a pensão feminina que o senhor Fábio e dona Zizinha mantinham ali.

Acontece que a sobrevivência estava dura demais. Precisava ganhar a vida o mais rápido possível, pois a época das pratinhas voadoras do vovô Tião estava literalmente enterrada debaixo do porão. No segundo ano da Escola Agrícola, resolveu voltar para Alto Rio Doce e foi trabalhar como vendedor na loja de tecidos e armarinhos "A Primavera".

Para quem não tinha mais quase nada, achava que ganhava bem na loja, mas quase tudo ficava na casa da mãe para ajudar nas despesas com as cinco irmãs – Ilax, as gêmeas Neyde e Cleyde, Alayde e Consuelo –, e com o caçula Antônio Ney e de Hélvio, agora no papel de chefe precoce da família.

A mãe reclamava por achar sempre pouco o dinheiro que entrava, mas ele se sentia muito feliz em saber que contribuía com tudo o que estava ao seu alcance para ajudar a família.

De repente uma grande oportunidade surgiu em sua vida. A Segunda Guerra Mundial!

SONHAR ALTO, PENSAR GRANDE

"Vou me alistar no exército!", proclamou. "Se lá posso ter onde comer, onde dormir, estudar, aprender e ainda ter uma farda... O que estou esperando?"

Ter uma farda era sonho de consumo de qualquer rapaz da época – claro, uma vez que rapazes de uniforme eram "objetos de desejo" para um casamento de quase todas as moças. Evidentemente, porém, ter uma farda talvez implicasse ir para a Guerra. Contudo, meu pai estava tão encantado com a ideia do alistamento que enfrentar um campo de batalha pareceu-lhe mero detalhe. Só pensava em se alistar e voltar promovido. Além de vivo, bem entendido.

Ficou quatro anos no Exército, primeiro no 4º Regimento de Infantaria, em Juiz de Fora, depois no 11º de São João Del Rey, onde chegou a sargento instrutor de tiro.

Com o exército aprendeu a disciplina, desenvolveu a coragem de lutar, além de um grande e sincero amor à pátria. Ingenuamente, estava "se achando" e preparado para enfrentar tropas inimigas na Itália, por isso alistou-se. Ficou indignado por nunca ter sido convocado e quando procurou seu superior para saber a razão, só obteve respostas evasivas. Muito tempo depois foi saber que sua não convocação tinha sido conseguida, como favor, a pedido de um coronel. Não por acaso o pai de sua namorada com quem, aliás, acabou não se casando. Entretanto, ainda que por vias tortas, livrou-o de um destino que poderia ter sido bastante cruel.

A jabuti viúva assistiu a tudo.

Este livro foi impresso pela gráfica Rettec
em papel norbrite 66,6 g.